교과서

GO! 매쓰

GO!

Jump
유형 사고력

수학 **6**-2

GO! 매쓰 Jump

차례

GO! 매쓰 Jump

구성과 특징

1 핵심 개념 정리

단원별 핵심 개념을 간결하게 정리하여 한눈에 이해할 수 있습니다.

2 대표 유형 익히기

단원별 사고력 문제의 대표 유형을 뽑아 수록하였습니다. 단계에 따라 문제를 해결하면 사고력 문제도 스스로 해결할 수 있습니다.

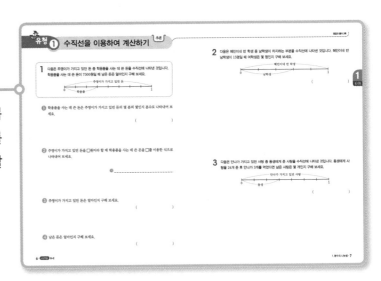

3 사고력 종합평가

한 단원을 학습한 후 종합평가를 통하여 단원에 해당하는 사고력 문제를 잘 이해하였는지 평가할 수 있습니다.

1 분수의 나눗셈

✿ 분모가 같은 (분수)÷(분수) 알아보기

• (분수)÷(단위분수)

$$\frac{4}{5} \div \frac{1}{5} = 4$$ ┌ 몫은 항상 자연수입니다.
└ (몫)=(나누어지는 수의 분자)

• 분자끼리 나누어떨어지는 (분수)÷(분수)

$$\frac{6}{7} \div \frac{3}{7} = 6 \div 3 = 2$$ → 단위분수의 개수로 나누기
→ 분자끼리 나누어떨어지면 몫은 자연수가 됩니다.

• 분자끼리 나누어떨어지지 않는 (분수)÷(분수)

$$\frac{7}{9} \div \frac{5}{9} = 7 \div 5 = \frac{7}{5} = 1\frac{2}{5}$$ → 분자끼리 나누어떨어지지 않으면 몫은 분수가 됩니다.

✿ 분모가 다른 (분수)÷(분수) 알아보기

• 분자끼리 나누어떨어지는 (분수)÷(분수)

$$\frac{2}{3} \div \frac{2}{9} = \frac{6}{9} \div \frac{2}{9}$$ … 분모를 같게 통분합니다.

$$= 6 \div 2$$ … 분자끼리 나눕니다.

$$= 3$$ … 몫을 자연수로 나타냅니다.

• 분자끼리 나누어떨어지지 않는 (분수)÷(분수)

$$\frac{5}{8} \div \frac{3}{4} = \frac{5}{8} \div \frac{6}{8}$$ … 분모를 같게 통분합니다.

$$= 5 \div 6$$ … 분자끼리 나눕니다.

$$= \frac{5}{6}$$ … 몫을 분수로 나타냅니다.

✿ (자연수)÷(분수) 알아보기

$$8 \div \frac{2}{3} = (8 \div 2) \times 3 = 4 \times 3 = 12$$
→ 자연수를 분수의 분자로 나눕니다.
→ 분수의 분모를 곱합니다.

✿ (분수)÷(분수)를 (분수)×(분수)로 나타내기

나눗셈을 곱셈으로 바꿉니다.

$$\frac{2}{3} \div \frac{3}{4} = \frac{2}{3} \times \frac{4}{3} = \frac{8}{9}$$

나누는 분수의 분모와 분자를 바꿉니다.

$$\frac{\bullet}{\star} \div \frac{\blacktriangle}{\blacksquare} = \frac{\bullet}{\star} \times \frac{\blacksquare}{\blacktriangle}$$

✿ (자연수)÷(분수) 계산하기

$$3 \div \frac{4}{5} = 3 \times \frac{5}{4} = \frac{15}{4} = 3\frac{3}{4}$$

✿ (가분수)÷(분수) 계산하기

$$\frac{7}{4} \div \frac{2}{3} = \frac{7}{4} \times \frac{3}{2} = \frac{21}{8} = 2\frac{5}{8}$$

✿ (대분수)÷(분수) 계산하기

$$1\frac{3}{4} \div \frac{5}{9} = \frac{7}{4} \div \frac{5}{9} = \frac{7}{4} \times \frac{9}{5} = \frac{63}{20} = 3\frac{3}{20}$$

대분수를 가분수로 나타내어 계산합니다.

1 다음은 주영이가 가지고 있던 돈 중 학용품을 사는 데 쓴 돈을 수직선에 나타낸 것입니다. 학용품을 사는 데 쓴 돈이 7500원일 때 남은 돈은 얼마인지 구해 보세요.

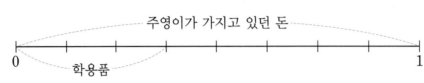

❶ 학용품을 사는 데 쓴 돈은 주영이가 가지고 있던 돈의 몇 분의 몇인지 분수로 나타내어 보세요.

(   )

❷ 주영이가 가지고 있던 돈을 □원이라 할 때 학용품을 사는 데 쓴 돈을 □를 이용한 식으로 나타내어 보세요.

식 _____

❸ 주영이가 가지고 있던 돈은 얼마인지 구해 보세요.

(   )

❹ 남은 돈은 얼마인지 구해 보세요.

(   )

2 다음은 혜민이네 반 학생 중 남학생이 차지하는 부분을 수직선에 나타낸 것입니다. 혜민이네 반 남학생이 15명일 때 여학생은 몇 명인지 구해 보세요.

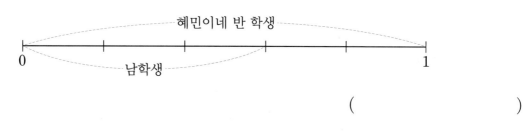

(   )

3 다음은 안나가 가지고 있던 사탕 중 동생에게 준 사탕을 수직선에 나타낸 것입니다. 동생에게 사탕을 24개 준 후 안나가 3개를 먹었다면 남은 사탕은 몇 개인지 구해 보세요.

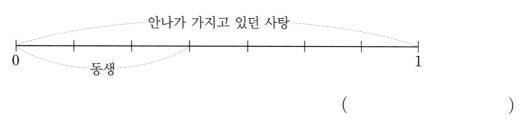

(   )

유형 2 분수로 만들어 계산하기

1 민기와 예지는 각자 가지고 있는 수 카드를 한 번씩만 사용하여 대분수를 만들려고 합니다. 민기가 만든 대분수를 예지가 만든 대분수로 나누었을 때 몫이 가장 큰 경우의 값은 얼마 인지 구해 보세요.

민기   예지

❶ 알맞은 말에 ○표 하세요.

민기는 가장 (큰 , 작은) 대분수를, 예지는 가장 (큰 , 작은) 대분수를 만들어야 합니다.

❷ 민기와 예지가 만들어야 하는 대분수를 각각 써 보세요.

민기   예지

❸ 몫이 가장 큰 경우의 값은 얼마인지 구해 보세요.

(   )

2 강호와 서희는 각자 가지고 있는 수 카드를 한 번씩만 사용하여 대분수를 만들려고 합니다. 강호가 만든 대분수를 서희가 만든 대분수로 나누었을 때 몫이 가장 작은 경우의 값은 얼마인지 구해 보세요.

강호   서희

(   )

3 마주 보는 두 면의 눈의 수의 합이 7인 정육면체 모양의 주사위 3개를 던졌더니 위에 보이는 면이 다음과 같았습니다. 주사위 3개의 밑에 놓인 면의 눈의 수를 한 번씩만 사용하여 만들 수 있는 대분수 중에서 가장 큰 수를 가장 작은 수로 나눈 몫을 구해 보세요.

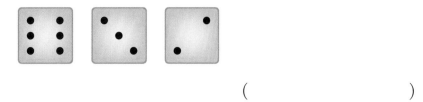

(   )

1 $7\dfrac{1}{5}$ L들이의 물통에 물이 $\dfrac{3}{4}$ 만큼 들어 있습니다. 이 물통에 물을 가득 채우려면 $\dfrac{3}{7}$ L들이

물병으로 적어도 몇 번 부어야 하는지 구해 보세요.

❶ 더 채워야 하는 물의 양은 물통 들이의 몇 분의 몇인지 분수로 나타내어 보세요.

(   )

❷ 더 채워야 하는 물의 양은 몇 L인지 구해 보세요.

(   )

❸ $\dfrac{3}{7}$ L들이 물병으로 적어도 몇 번 부어야 하는지 구해 보세요.

(   )

2 $4\frac{2}{7}$ L들이의 물통에 물이 $\frac{2}{3}$만큼 들어 있습니다. 이 물통에 물을 가득 채우려면 $\frac{2}{3}$ L들이 물병으로 적어도 몇 번 부어야 하는지 구해 보세요.

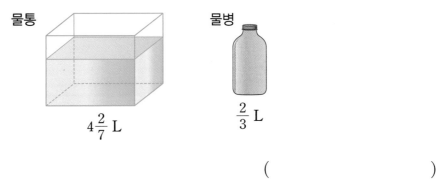

물통   물병

$4\frac{2}{7}$ L $\frac{2}{3}$ L

(   )

3 물이 반만큼 채워져 있는 물통에 물을 $5\frac{2}{5}$ L 더 부으면 물이 넘치지 않고 물통에 가득 찬다고 합니다. 이 물통에 가득 차 있는 물을 모두 덜어 내려면 $\frac{3}{4}$ L들이 물병으로 적어도 몇 번 덜어 내야 하는지 구해 보세요.

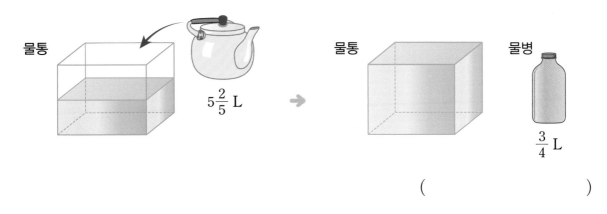

물통 $5\frac{2}{5}$ L   물통   물병

$\frac{3}{4}$ L

(   )

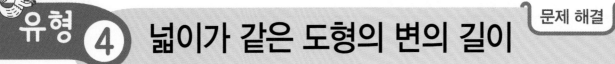

1 정사각형 모양의 꽃밭 ㉮와 직사각형 모양의 꽃밭 ㉯의 넓이가 같습니다. 꽃밭 ㉯의 세로는 몇 m인지 구해 보세요.

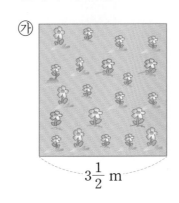

㉮ $3\frac{1}{2}$ m

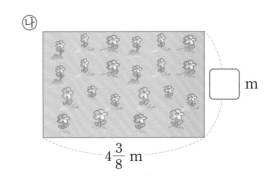

㉯ $4\frac{3}{8}$ m

m

❶ 꽃밭 ㉮의 넓이는 몇 m^2인지 구해 보세요.

(   )

❷ 꽃밭 ㉯의 세로를 □ m라 할 때 꽃밭 ㉯의 넓이를 구하는 식을 써 보세요.

식

❸ 꽃밭 ㉯의 세로는 몇 m인지 구해 보세요.

(   )

2 직각삼각형 모양의 잔디밭 ㉮와 직사각형 모양의 잔디밭 ㉯의 넓이가 같습니다. 잔디밭 ㉯의 세로는 몇 m인지 구해 보세요.

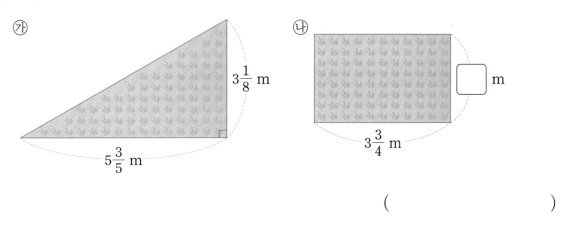

(   )

3 마름모 모양의 땅 ㉮와 평행사변형 모양의 땅 ㉯의 넓이가 같습니다. 땅 ㉯의 높이는 몇 m인지 구해 보세요.

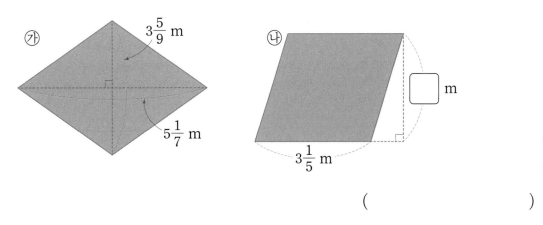

(   )

1 민우는 어제 페인트 $4\frac{1}{5}$ L로 한 변의 길이가 3 m인 정사각형 모양의 벽을 칠하였습니다.

민우가 오늘 페인트 9 L로 칠할 수 있는 벽의 넓이는 몇 m²인지 구해 보세요.

❶ 정사각형 모양의 벽의 넓이는 몇 m²인지 구해 보세요.

( )

❷ 페인트 1 L로 칠할 수 있는 벽의 넓이는 몇 m²인지 구해 보세요.

( )

❸ 페인트 9 L로 칠할 수 있는 벽의 넓이는 몇 m²인지 구해 보세요.

( )

2 한 변의 길이가 5 m인 정사각형 모양의 벽을 칠하는 데 페인트 $4\frac{2}{7}$ L가 필요합니다. 페인트 8 L로 칠할 수 있는 벽의 넓이는 몇 m^2인지 구해 보세요.

(   )

3 가로가 6 m, 세로가 $1\frac{3}{4}$ m인 직사각형 모양의 벽을 칠하는 데 페인트 $3\frac{1}{9}$ L가 필요합니다. 페인트 6 L로 칠할 수 있는 벽의 넓이는 몇 m^2인지 구해 보세요.

(   )

4 가로가 $4\frac{5}{7}$ m, 세로가 $5\frac{5}{6}$ m인 직사각형 모양의 벽을 칠하는 데 민준이와 연서가 페인트를 각각 $2\frac{1}{4}$ L, $1\frac{1}{12}$ L를 모두 사용하였습니다. 페인트 1 L로 몇 m^2의 벽을 칠한 셈인지 구해 보세요.

(   )

1 어떤 일을 하는 데 현서와 은주가 일하는 양은 다음과 같습니다. 같은 빠르기로 현서가 9일 동안 먼저 일한 다음 두 사람이 함께 남은 일을 끝내려고 합니다. 두 사람이 함께 일하는 날은 며칠인지 구해 보세요.

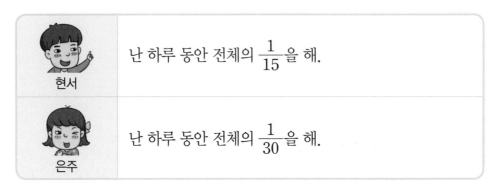

| 현서 | 난 하루 동안 전체의 $\dfrac{1}{15}$ 을 해. |
| 은주 | 난 하루 동안 전체의 $\dfrac{1}{30}$ 을 해. |

❶ 두 사람이 함께 일을 했을 때 하루 동안 일하는 양을 구해 보세요.

( )

❷ 현서가 9일 동안 일하는 양을 구해 보세요.

( )

❸ 현서가 9일 동안 먼저 일한 다음 남은 일의 양을 구해 보세요.

( )

❹ 두 사람이 함께 일하는 날은 며칠인지 구해 보세요.

( )

2 어떤 일을 하는 데 준우와 윤하가 일하는 양은 다음과 같습니다. 같은 빠르기로 준우가 3일 동안 먼저 일한 다음 두 사람이 함께 남은 일을 끝내려고 합니다. 두 사람이 함께 일하는 날은 며칠인지 구해 보세요.

준우	난 하루 동안 전체의 $\frac{1}{12}$ 을 해.
윤하	난 하루 동안 전체의 $\frac{1}{24}$ 을 해.

(   )

3 어떤 일을 하는 데 미라와 진호가 일한 날과 일한 양은 다음과 같습니다. 같은 빠르기로 진호가 2일 동안 먼저 일한 다음 두 사람이 함께 남은 일을 끝내려고 합니다. 두 사람이 함께 일하는 날은 며칠인지 구해 보세요.

이름	미라	진호
일한 날	2일	5일
일한 양	$\frac{1}{3}$	$\frac{1}{2}$

(   )

1 가⊙나를 다음과 같이 약속하였습니다. 3⊙7을 계산해 보세요.

$$가⊙나 = (가 ÷ 나) ÷ (나 ÷ 가)$$

(   )

2 □ 안에 들어갈 수 있는 자연수 중에서 가장 작은 수를 구해 보세요.

$$12 ÷ \dfrac{3}{□} > 20$$

(   )

3 넓이가 $2\dfrac{3}{4}$ m²인 사다리꼴이 있습니다. 이 사다리꼴의 높이는 몇 m인지 구해 보세요.

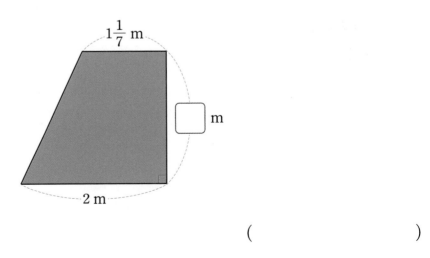

(   )

4 초등학교 여학생의 표준 체중은 다음과 같은 방법으로 구할 수 있다고 합니다. 키가 150 cm인 초등학교 여학생의 표준 체중은 몇 kg인지 구해 보세요.

$$(표준 체중) = (키 - 100) \div 1\frac{1}{9}$$

(   )

1 단원

5 다음은 주민이네 학교 학생 중 여학생이 차지하는 부분을 수직선에 나타낸 것입니다. 주민이네 학교 여학생이 225명일 때 남학생은 몇 명인지 구해 보세요.

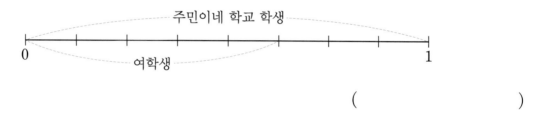

(   )

6 준우와 윤하는 각자 가지고 있는 수 카드를 한 번씩만 사용하여 대분수를 만들려고 합니다. 준우가 만든 대분수를 윤하가 만든 대분수로 나누었을 때 몫이 가장 작은 경우의 값은 얼마인지 구해 보세요.

(   )

7 어느 공장에서 책상 한 개를 만드는 데 $1\frac{2}{5}$시간이 걸린다고 합니다. 이 공장에서 같은 빠르기로 매일 $4\frac{2}{5}$시간씩 일주일 동안 책상을 만든다면 몇 개까지 만들 수 있는지 구해 보세요.

(   )

8 어떤 수를 $\frac{3}{4}$으로 나누어야 할 것을 잘못하여 $\frac{3}{4}$을 곱했더니 $3\frac{3}{8}$이 되었습니다. 바르게 계산한 값을 구해 보세요.

(   )

9 $10\frac{2}{5}$ L들이의 물통에 물이 $\frac{1}{6}$만큼 들어 있습니다. 이 물통에 물을 가득 채우려면 $\frac{8}{9}$ L들이 물병으로 적어도 몇 번 부어야 하는지 구해 보세요.

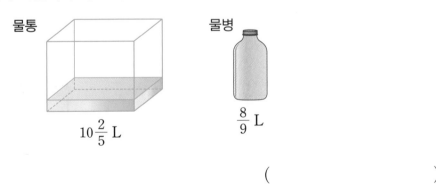

물통   물병

$10\frac{2}{5}$ L $\frac{8}{9}$ L

(   )

10 수 카드 4장 중에서 2장을 골라 한 번씩 사용하여 진분수를 만들려고 합니다. 만들 수 있는 가장 큰 진분수를 가장 작은 진분수로 나눈 몫을 구해 보세요.

$$\boxed{2} \quad \boxed{4} \quad \boxed{5} \quad \boxed{7}$$

(   )

1 단원

11 직사각형 모양의 꽃밭 ㉮와 평행사변형 모양의 꽃밭 ㉯의 넓이가 같습니다. 꽃밭 ㉯의 높이는 몇 m인지 구해 보세요.

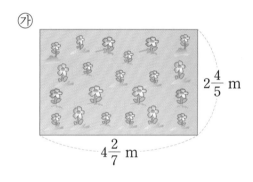

㉮ $2\frac{4}{5}$ m $4\frac{2}{7}$ m

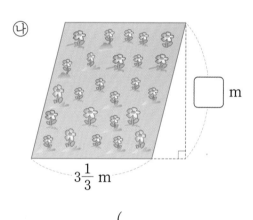

㉯ $\boxed{}$ m $3\frac{1}{3}$ m

(   )

12 같은 모양은 같은 수를 나타낼 때 ■에 알맞은 수를 구해 보세요.

$$\frac{5}{\blacksquare \times \blacktriangle \times \blacksquare} \div \frac{3}{\blacktriangle} = \frac{1}{1500}$$

(   )

13 한 변의 길이가 6 m인 정사각형 모양의 벽을 칠하는 데 페인트 $6\frac{2}{5}$ L가 필요합니다. 페인트 12 L로 칠할 수 있는 벽의 넓이는 몇 m^2인지 구해 보세요.

(   )

14 어떤 일을 하는 데 안나와 근우가 일한 날과 일한 양은 다음과 같습니다. 같은 빠르기로 근우가 3일 동안 먼저 일한 다음 두 사람이 함께 남은 일을 끝내려고 합니다. 두 사람이 함께 일하는 날은 며칠인지 구해 보세요.

이름	안나	근우
일한 날	4일	2일
일한 양	$\frac{1}{3}$	$\frac{1}{4}$

(   )

15 다음과 같이 규칙적으로 분수를 늘어놓고 있습니다. (7번째 분수)÷(9번째 분수)의 몫을 구해 보세요.

$$1\frac{1}{2},\ 2\frac{2}{3},\ 3\frac{3}{4},\ 4\frac{4}{5}\cdots\cdots$$

(   )

2 소수의 나눗셈

✿ 자연수의 나눗셈을 이용한 (소수)÷(소수)

$48.4 \div 0.4$
10배 ↘ ↗ 10배
$484 \div 4 = 121$
$48.4 \div 0.4 = 121$

$4.84 \div 0.04$
100배 ↘ ↗ 100배
$484 \div 4 = 121$
$4.84 \div 0.04 = 121$

> 나누어지는 수와 나누는 수에 똑같이 10배 또는 100배를 하여 계산합니다.

✿ 자릿수가 같은 (소수)÷(소수)

$0.6 \overline{)3.6}$ ➡ $6 \overline{)36}$

└→ 소수점을 똑같이 옮겨서 계산합니다.

```
    6
6)3 6
  3 6
    0
```

✿ 자릿수가 다른 (소수)÷(소수)

방법1

$1.10 \overline{)1.65}$

소수점을 ← 두 자리씩 옮깁니다.

```
       1.5
110)1 6 5.0
    1 1 0
      5 5 0
      5 5 0
          0
```

방법2

$1.1 \overline{)1.65}$

소수점을 → 한 자리씩 옮깁니다.

```
      1.5
11)1 6.5
   1 1
     5 5
     5 5
       0
```

✿ (자연수)÷(소수)

$2.5 \overline{)10.0}$ ➡ $25 \overline{)100}$

└→ 소수점을 똑같이 옮겨서 계산합니다.

```
      4
25)1 0 0
   1 0 0
       0
```

✿ 몫을 반올림하여 나타내기

$$25 \div 13 = 1.923\cdots\cdots$$

- 몫을 반올림하여 일의 자리까지 나타내기
$$1.9\cdots\cdots \Rightarrow 2$$

- 몫을 반올림하여 소수 첫째 자리까지 나타내기
$$1.92\cdots\cdots \Rightarrow 1.9$$

- 몫을 반올림하여 소수 둘째 자리까지 나타내기
$$1.923\cdots\cdots \Rightarrow 1.92$$

> 몫을 반올림하여 나타낼 때에는 구하려는 자리 바로 아래에서 반올림합니다.

✿ 나누어 주고 남는 양

例 물 8.3 L를 한 사람에 2 L씩 나누어주기

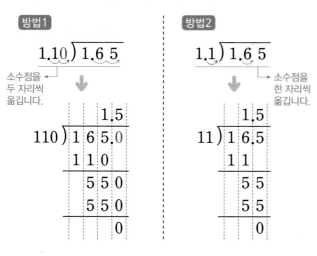

```
      4   → 나누어 줄 수 있는 사람 수
2)8.3
  8       → 나누어 주는 물의 양
  0.3     → 나누어 주고 남는 물의 양
```

1 흰색 화살표가 나눗셈의 몫만큼 시계 방향으로 칸을 옮깁니다. 시작에서부터 움직여서 세 번째로 도착한 칸을 화살표로 표시해 보세요.

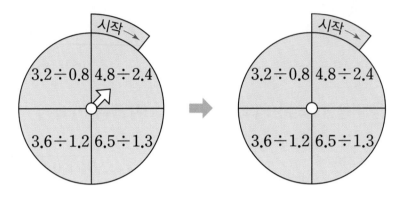

❶ 시작 칸에 있는 나눗셈의 몫을 구해 보세요.

(   )

❷ ❶에서 구한 몫만큼 시계 방향으로 칸을 옮겨서 나눗셈의 몫을 구해 보세요.

(   )

❸ ❷에서 구한 몫만큼 시계 방향으로 칸을 옮겨서 나눗셈의 몫을 구해 보세요.

(   )

❹ ❸에서 구한 몫만큼 시계 방향으로 칸을 옮겨서 화살표로 표시해 보세요.

2 흰색 화살표가 나눗셈의 몫만큼 시계 방향으로 칸을 옮깁니다. 시작에서부터 움직여서 두 번째로 도착한 칸을 화살표로 표시해 보세요.

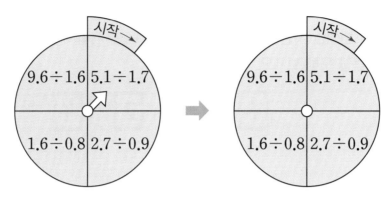

3 흰색 화살표가 나눗셈의 몫만큼 시계 방향으로 칸을 옮깁니다. 시작에서부터 움직여서 세 번째로 도착한 칸을 화살표로 표시해 보세요.

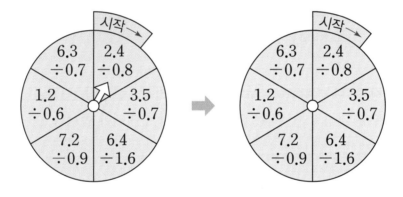

4 흰색 화살표가 나눗셈의 몫만큼 시계 반대 방향으로 칸을 옮깁니다. 시작에서부터 움직여서 두 번째로 도착한 칸을 화살표로 표시해 보세요.

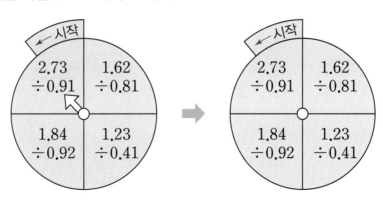

1 수 카드를 한 번씩만 사용하여 몫이 가장 큰 (소수 한 자리 수)÷(소수 한 자리 수)를 만들었을 때, 그 몫을 구해 보세요.

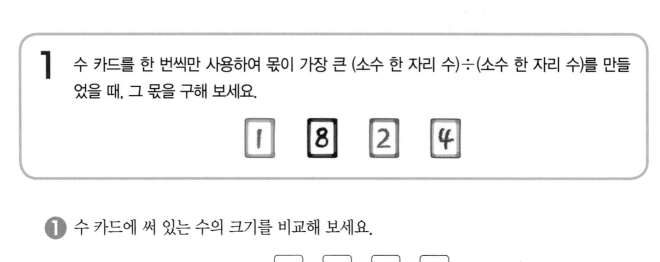

❶ 수 카드에 써 있는 수의 크기를 비교해 보세요.

$$\boxed{}>\boxed{}>\boxed{}>\boxed{}$$

❷ 알맞은 말에 ○표 하세요.

몫이 가장 큰 나눗셈식은 나누어지는 수는 가장 (큰 , 작은) 소수 한 자리 수이어야 하고 나누는 수는 가장 (큰 , 작은) 소수 한 자리 수이어야 합니다.

❸ 나눗셈식을 완성해 보세요.

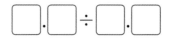

❹ ❸에서 만든 나눗셈식의 몫을 구해 보세요.

(   )

2 수 카드 3 , 5 , 1 , 6 을 한 번씩만 사용하여 몫이 가장 큰 (소수 한 자리 수)÷(소수 한 자리 수)를 만들었을 때, 그 몫을 구해 보세요.

(   )

3 수 카드 6 , 9 , 5 를 한 번씩만 사용하여 몫이 가장 크게 되도록 나눗셈식을 완성하고 몫을 구해 보세요.

(   )

4 수 카드 1 , 9 , 2 , 6 을 한 번씩만 사용하여 몫이 가장 작게 되도록 나눗셈식을 완성하고 몫을 구해 보세요.

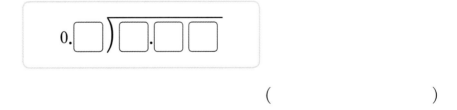

(   )

1 축구공 1개의 무게를 재었더니 0.42 kg이었습니다. 저울의 한쪽에 축구공을 2개 올려놓았을 때 저울의 수평을 맞추기 위해서는 0.28 kg인 추를 몇 개 올려놓아야 하는지 구해 보세요.

❶ 축구공 2개의 무게를 구해 보세요.

(   )

❷ ❶에서 구한 무게는 0.28 kg인 추의 몇 배인지 구해 보세요.

(   )

❸ 0.28 kg인 추를 몇 개 올려야 하는지 써 보세요.

(   )

2 주스병 1개의 무게를 재었더니 0.52 kg이었습니다. 저울의 한쪽에 주스병을 3개 올려놓았을 때 저울의 수평을 맞추기 위해서는 0.39 kg인 추를 몇 개 올려놓아야 하는지 구해 보세요.

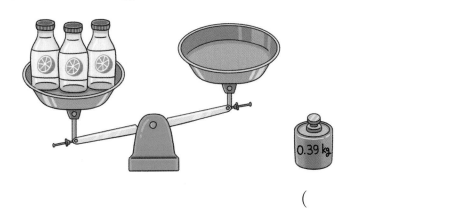

(   )

3 아령 1개의 무게는 2.75 kg입니다. 저울의 왼쪽에 아령을 5개 올려놓았을 때 저울이 오른쪽으로 기울기 위해서는 0.5 kg인 추를 적어도 몇 개 올려놓아야 하는지 구해 보세요.

(   )

4 저울의 한쪽에 0.21 kg인 추 8개와 0.07 kg인 추 1개를 올려놓았습니다. 저울의 수평을 맞추기 위해서는 0.25 kg인 추를 몇 개 올려놓아야 하는지 구해 보세요.

(   )

1 삼각형 ㄱㄴㄷ의 넓이는 삼각형 ㄹㅁㄷ의 넓이의 1.4배입니다. 삼각형 ㄱㄴㄷ의 넓이가 17.29 cm²일 때 선분 ㄴㅁ의 길이는 몇 cm인지 구해 보세요. (단, 선분 ㄱㄴ과 선분 ㄹㄷ은 길이가 같습니다.)

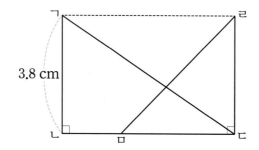

❶ 선분 ㄴㄷ의 길이는 몇 cm인지 구해 보세요.

(   )

❷ 삼각형 ㄹㅁㄷ의 넓이는 몇 cm²인지 구해 보세요.

(   )

❸ 선분 ㅁㄷ의 길이는 몇 cm인지 구해 보세요.

(   )

❹ 선분 ㄴㅁ의 길이는 몇 cm인지 구해 보세요.

(   )

2 삼각형에서 ㉠의 길이는 몇 cm인지 구해 보세요.

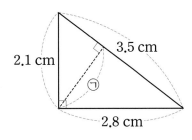

2.1 cm
3.5 cm
㉠
2.8 cm

(   )

3 마름모 ㄱㄴㄷㄹ의 넓이는 삼각형 ㄱㄷㅁ의 넓이의 0.6배입니다. 마름모 ㄱㄴㄷㄹ의 넓이가 21 cm²일 때 선분 ㄱㅁ의 길이는 몇 cm인지 구해 보세요.

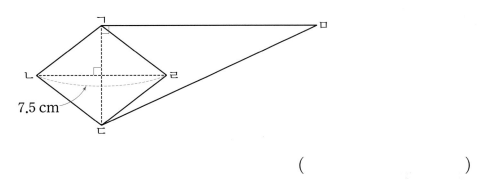

7.5 cm

(   )

4 삼각형 ㄱㄴㄷ의 넓이는 삼각형 ㄹㄴㅁ의 넓이의 1.2배입니다. 삼각형 ㄱㄴㄷ의 넓이가 76.44 cm²일 때 선분 ㅁㄷ의 길이는 몇 cm인지 구해 보세요. (단, 삼각형 ㄱㄴㄷ과 삼각형 ㄹㄴㅁ의 높이는 같습니다.)

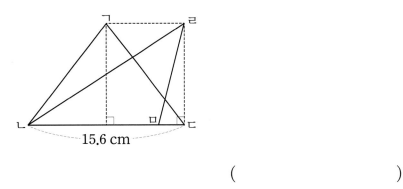

15.6 cm

(   )

1 길이가 20 cm인 색 테이프를 0.8 cm씩 겹쳐서 한 줄로 길게 이어 붙였더니 이어 붙인 길이가 423.2 cm가 되었습니다. 색 테이프를 몇 장 이어 붙인 것인지 구해 보세요.

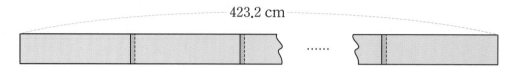

423.2 cm

❶ 색 테이프 2장을 이어 붙인 길이를 구하는 식입니다. ☐ 안에 알맞은 수를 써넣으세요.

$$20+(20-\boxed{})=\boxed{}\ (cm)$$

❷ 색 테이프 3장을 이어 붙인 길이를 구하는 식입니다. ☐ 안에 알맞은 수를 써넣으세요.

$$20+(20-\boxed{})\times\boxed{}=\boxed{}\ (cm)$$

❸ 겹쳐진 부분의 수를 ☐군데라 하고 이어 붙인 길이가 423.2 cm가 되는 식을 써 보세요.

식

❹ 색 테이프를 몇 장 이어 붙인 것인지 구해 보세요.

(   )

2 길이가 10 cm인 색 테이프를 0.6 cm씩 겹쳐서 한 줄로 길게 이어 붙였더니 이어 붙인 길이가 132.2 cm가 되었습니다. 색 테이프를 몇 장 이어 붙인 것인지 구해 보세요.

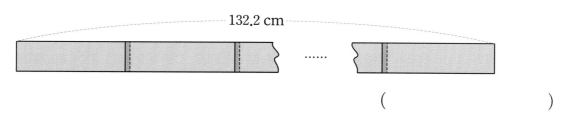

132.2 cm

(   )

2
단원

3 길이가 8 cm인 색 테이프를 0.8 cm씩 겹쳐서 한 줄로 길게 이어 붙였더니 이어 붙인 길이가 72.8 cm가 되었습니다. 색 테이프를 몇 장 이어 붙인 것인지 구해 보세요.

(   )

4 길이가 15 cm인 색 테이프를 1.2 cm씩 겹쳐서 한 줄로 길게 이어 붙였을 때 이어 붙인 길이가 2 m를 넘으려면 색 테이프를 적어도 몇 장 이어 붙여야 하는지 구해 보세요.

(   )

1 1시간 36분 동안 5.76 km를 흐르는 강이 있습니다. 1시간에 38.2 km의 빠르기로 가는 배가 강이 흐르는 방향으로 가고 있을 때 이 배로 125.4 km를 가는 데 걸리는 시간을 구해 보세요. (단, 강과 배의 빠르기는 일정합니다.)

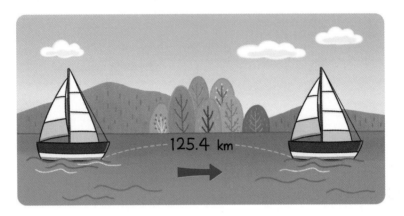

125.4 km

❶ 강은 1시간에 몇 km를 흐르는지 구해 보세요.

(   )

❷ 알맞은 말에 ○표 하세요.

배가 강이 흐르는 방향으로 가고 있으므로 배의 빠르기에 강이 흐르는 빠르기를 (더해야 , 빼야) 합니다.

❸ 강에서 배가 1시간에 몇 km를 가는지 구해 보세요.

(   )

❹ 배가 125.4 km를 가는 데 걸리는 시간을 구해 보세요.

(   )

2 1시간 12분 동안 2.64 km를 흐르는 강이 있습니다. 1시간에 28.2 km의 빠르기로 가는 배가 강이 흐르는 방향으로 가고 있을 때 이 배로 69.92 km를 가는 데 걸리는 시간을 구해 보세요. (단, 강과 배의 빠르기는 일정합니다.)

(   )

3 2시간 6분 동안 8.61 km를 흐르는 강이 있습니다. 1시간에 42.3 km의 빠르기로 가는 배가 강이 흐르는 반대 방향으로 가고 있을 때 이 배로 76.4 km를 가는 데 걸리는 시간을 구해 보세요. (단, 강과 배의 빠르기는 일정합니다.)

강이 흐르는 빠르기만큼 느려져요.

(   )

4 1시간 30분 동안 3.6 km를 흐르는 강이 있습니다. 가 배는 1시간에 26.4 km의 빠르기로 강이 흐르는 방향으로 가고 나 배는 1시간에 40.8 km의 빠르기로 강이 흐르는 반대 방향으로 가고 있습니다. 두 배가 각각 57.6 km를 가는 데 걸리는 시간의 차를 구해 보세요. (단, 강과 배의 빠르기는 일정합니다.)

(   )

1 다음 나눗셈에서 몫의 소수점 아래 30째 자리 숫자를 구해 보세요.

$$1.8 \div 1.1$$

( )

2 흰색 화살표가 나눗셈의 몫만큼 시계 방향으로 칸을 옮깁니다. 시작에서부터 움직여서 두 번째로 도착한 곳을 화살표로 표시해 보세요.

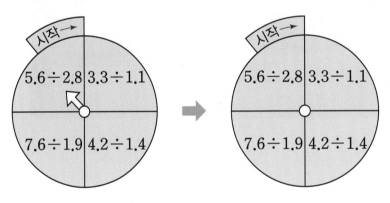

3 둘레가 153 m인 원 모양의 호수가 있습니다. 이 호수의 둘레에 4.25 m 간격으로 나무를 세우려고 할 때 나무를 몇 그루 세울 수 있는지 구해 보세요. (단, 나무의 두께는 생각하지 않습니다.)

( )

4 수 카드 4, 2, 8을 한 번씩만 사용하여 몫이 가장 작게 되도록 나눗셈식을 완성하고 몫을 구해 보세요.

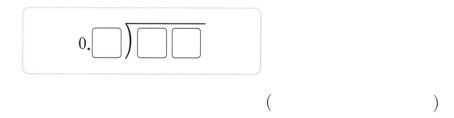

(   )

5 수 카드 4, 6, 2, 9를 한 번씩만 사용하여 몫이 가장 크게 되도록 나눗셈식을 완성하고 몫을 구해 보세요.

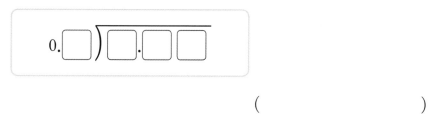

(   )

6 끈 5 m로 상자 1개를 포장할 수 있습니다. 길이가 162.9 m인 끈으로 상자를 몇 개까지 포장할 수 있고, 남는 끈은 몇 m인지 차례로 구해 보세요.

(   ), (   )

7 ☐ 안에 들어갈 수 있는 가장 큰 자연수를 구해 보세요.

$$72.96 \div 3.8 > \boxed{}$$

(   )

8 ☐ 안에 들어갈 수 있는 자연수는 모두 몇 개인지 구해 보세요.

$$21.98 \div 0.7 < \boxed{} < 32.58 \div 0.9$$

(   )

9 어떤 수에 1.4를 곱했더니 53.48이 되었습니다. 어떤 수를 26으로 나누었을 때 몫을 반올림하여 소수 첫째 자리까지 나타내어 보세요.

(   )

10 500원짜리 동전의 무게는 7.7 g입니다. 저울 한쪽에 500원짜리 동전 6개를 올려놓는다면 저울의 수평을 맞추기 위해서는 다른 한쪽에 3.3 g인 추를 몇 개 올려놓아야 하는지 구해 보세요.

(   )

11 삼각형의 넓이는 25.11 cm²입니다. 밑변의 길이가 8.1 cm일 때 높이는 몇 cm인지 구해 보세요.

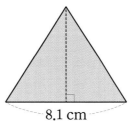

8.1 cm

(   )

12 마름모 ㄱㄴㄷㄹ의 넓이는 직사각형 ㄱㄷㅂㅁ의 넓이의 2.6배입니다. 마름모 ㄱㄴㄷㄹ의 넓이가 130 cm²일 때 선분 ㄱㅁ의 길이는 몇 cm인지 구해 보세요.

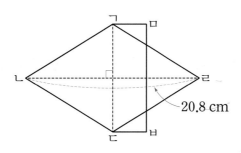

20.8 cm

(   )

13 번개가 친 곳에서 0.34 km 떨어진 곳은 번개가 친 지 약 1초 뒤에 천둥소리를 들을 수 있습니다. 번개가 친 곳에서 6 km 떨어진 곳은 번개가 친 지 몇 초 뒤에 천둥소리를 들을 수 있는지 반올림하여 소수 첫째 자리까지 나타내어 보세요.

(   )

14 길이가 15 cm인 색 테이프를 0.5 cm씩 겹쳐서 한 줄로 길게 이어 붙였더니 이어 붙인 길이가 377.5 cm가 되었습니다. 색 테이프를 몇 장 이어 붙인 것인지 구해 보세요.

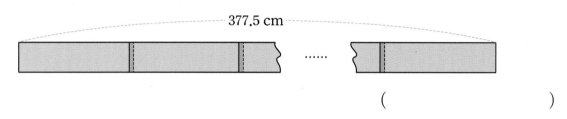

(   )

15 1시간 30분 동안 5.25 km를 흐르는 강이 있습니다. 1시간에 31 km의 빠르기로 가는 배가 강이 흐르는 방향으로 가고 있을 때 이 배로 138 km를 가는 데 걸리는 시간을 구해 보세요.

(단, 강과 배의 빠르기는 일정합니다.)

(   )

3 공간과 입체

쌓은 모양과 위에서 본 모양을 보고 쌓기나무의 개수 구하기

몇 개인지 보이지 않는 부분

위에서 본 모양

뒤에 보이지 않는 쌓기나무가 1개 또는 2개이므로 똑같은 모양으로 쌓는 데 필요한 쌓기나무는 10개 또는 11개입니다.

쌓기나무로 쌓은 모양을 보고 위, 앞, 옆에서 본 모양 그리기

→ 1층 모양과 같습니다.

각 방향에서 각 줄의 가장 높은 층의 모양과 같습니다.

위, 앞, 옆에서 본 모양을 보고 쌓기나무의 개수 구하기

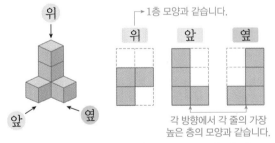

앞에서 본 모양을 보면 ㉠ 부분과 ㉣ 부분은 쌓기나무가 각각 1개입니다.
옆에서 본 모양을 보면 ㉡ 부분과 ㉢ 부분은 쌓기나무가 각각 2개, 1개입니다.
(쌓기나무의 개수)=1+2+1+1=5(개)

쌓기나무로 쌓은 모양을 위에서 본 모양에 수를 써서 필요한 쌓기나무의 개수 구하기

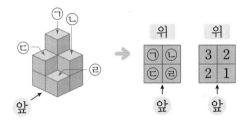

위에서 본 모양의 각 자리에 쌓은 쌓기나무의 개수를 모두 더하면 똑같은 모양으로 쌓는 데 필요한 쌓기나무는 3+2+2+1=8(개)입니다.

층별로 사용한 쌓기나무의 개수를 구하여 필요한 쌓기나무의 개수 구하기

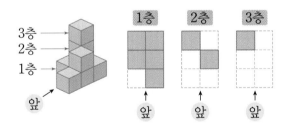

각 층에 사용된 쌓기나무는 1층에 5개, 2층에 2개, 3층에 1개이므로 똑같은 모양으로 쌓는 데 필요한 쌓기나무는 5+2+1=8(개)입니다.

두 가지 모양을 사용하여 새로운 모양 만들기

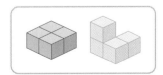

1 쌓기나무로 쌓은 모양을 보고 위에서 본 모양에 수를 쓴 것입니다. 2층에 쌓인 쌓기나무가 많은 것부터 차례로 기호를 써 보세요.

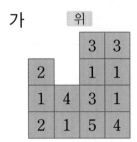 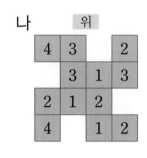

❶ 가 모양의 2층에 쌓인 쌓기나무의 개수를 구해 보세요.

(   )

❷ 나 모양의 2층에 쌓인 쌓기나무의 개수를 구해 보세요.

(   )

❸ 다 모양의 2층에 쌓인 쌓기나무의 개수를 구해 보세요.

(   )

❹ 2층에 쌓인 쌓기나무가 많은 것부터 차례로 기호를 써 보세요.

(   )

2 쌓기나무로 쌓은 모양을 보고 위에서 본 모양에 수를 쓴 것입니다. 가와 나 모양의 2층에 쌓인 쌓기나무 개수의 차는 몇 개인지 구해 보세요.

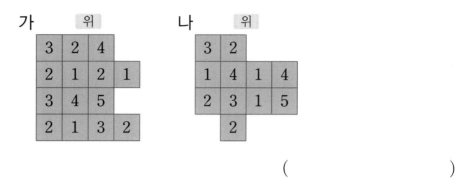

(   )

3 쌓기나무로 쌓은 모양을 보고 위에서 본 모양에 수를 쓴 것입니다. 가, 나, 다 모양의 3층에 쌓인 쌓기나무는 모두 몇 개인지 구해 보세요.

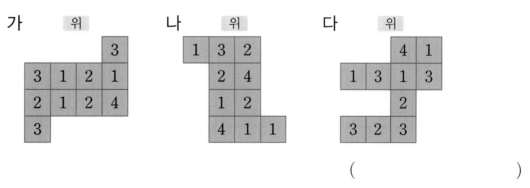

(   )

1 쌓기나무 14개로 쌓은 모양과 위에서 본 모양입니다. 보이지 않는 부분에 쌓인 쌓기나무는 몇 개인지 구해 보세요.

위에서 본 모양

❶ 올바른 설명을 한 사람을 찾아 이름을 써 보세요.

준우	쌓은 모양에서 쌓기나무가 보이지 않으면 위에서 본 모양에 색칠되어 있더라도 쌓기나무가 없는 것입니다.
윤하	쌓은 모양에서 쌓기나무가 보이지 않더라도 위에서 본 모양에 색칠되어 있으면 쌓기나무가 있는 것입니다.

(　　　　　　　　　　)

❷ 위에서 본 모양의 각 자리 중 쌓은 모양에서 보이지 않는 부분에 빗금을 쳐 보세요.

❸ ❷에서 찾은 부분을 제외한 나머지 부분에 쌓인 쌓기나무의 개수를 구해 보세요.

(　　　　　　　　　　)

❹ 보이지 않는 부분에 쌓인 쌓기나무는 몇 개인지 구해 보세요.

(　　　　　　　　　　)

2 쌓기나무 18개로 쌓은 모양과 위에서 본 모양입니다. 보이지 않는 부분에 쌓인 쌓기나무는 몇 개인지 구해 보세요.

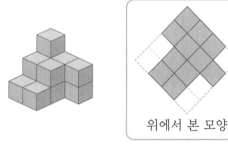

위에서 본 모양

(   )

3 각각 쌓기나무 21개로 쌓은 모양과 위에서 본 모양입니다. 보이지 않는 부분에 쌓인 쌓기나무의 개수의 합을 구해 보세요.

위에서 본 모양

위에서 본 모양

(   )

1 쌓기나무로 쌓은 모양을 위, 앞, 옆에서 본 모양입니다. 쌓기나무를 가장 많이 사용했을 때와 가장 적게 사용했을 때의 쌓기나무 개수의 차를 구해 보세요.

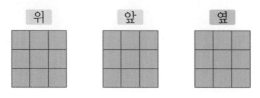

❶ 알맞은 말에 ○표 하세요.

> 쌓은 모양을 앞과 옆에서 본 모양은 각 방향에서 각 줄의 가장 (높은 , 낮은) 층의 모양과 같습니다.

❷ 쌓기나무를 가장 많이 사용했을 때의 쌓기나무의 개수를 구하려고 합니다. 위에서 본 모양의 각 자리와 ☐ 안에 알맞은 수를 써넣으세요.

쌓기나무의 개수: ☐ 개

❸ 쌓기나무를 가장 적게 사용했을 때의 쌓기나무의 개수를 구하려고 합니다. 위에서 본 모양의 각 자리와 ☐ 안에 알맞은 수를 써넣으세요.

쌓기나무의 개수: ☐ 개

❹ 쌓기나무를 가장 많이 사용했을 때와 가장 적게 사용했을 때의 쌓기나무 개수의 차를 구해 보세요.

(   )

2 쌓기나무로 쌓은 모양을 위, 앞, 옆에서 본 모양입니다. 쌓기나무를 가장 많이 사용했을 때와 가장 적게 사용했을 때의 쌓기나무 개수의 차를 구해 보세요.

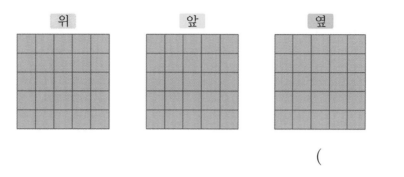

(   )

3 쌓기나무로 쌓은 모양을 위, 앞, 옆에서 본 모양입니다. 쌓기나무를 가장 많이 사용했을 때와 가장 적게 사용했을 때의 쌓기나무 개수의 차를 구해 보세요.

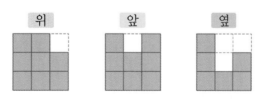

(   )

1 미라와 윤호가 쌓기나무로 쌓은 모양의 바깥쪽 면에 모두 색칠했다면 색칠한 부분의 넓이는 몇 cm^2인지 구해 보세요. (단, 바닥에 닿은 면도 색칠한 것으로 생각합니다.)

쌓기나무는 한 모서리의 길이가 10 cm인 정육면체 모양이야.

모양을 만드는 데 쌓기나무 10개를 사용했어.

❶ 쌓은 모양을 위에서 보았을 때의 넓이는 몇 cm^2인지 구해 보세요.

(   )

❷ 쌓은 모양을 앞에서 보았을 때의 넓이는 몇 cm^2인지 구해 보세요.

(   )

❸ 쌓은 모양을 옆에서 보았을 때의 넓이는 몇 cm^2인지 구해 보세요.

(   )

❹ 색칠한 부분의 넓이는 몇 cm^2인지 구해 보세요.

(   )

2 한 모서리의 길이가 3 cm인 정육면체 모양의 쌓기나무 12개로 쌓은 모양의 바깥쪽 면에 모두 색칠했다면 색칠한 부분의 넓이는 몇 cm²인지 구해 보세요. (단, 바닥에 닿은 면도 색칠한 것으로 생각합니다.)

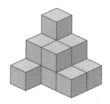

(   )

3 한 모서리의 길이가 5 cm인 정육면체 모양의 쌓기나무 12개로 쌓은 모양의 바깥쪽 면에 모두 색칠했다면 색칠한 부분의 넓이는 몇 cm²인지 구해 보세요. (단, 바닥에 닿은 면도 색칠한 것으로 생각합니다.)

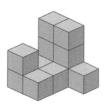

(   )

여러 가지 모양 만들기

1  모양에 쌓기나무 1개를 더 붙여서 만들 수 있는 서로 다른 모양은 모두 몇 가지인 지 구해 보세요. (단, 돌리거나 뒤집었을 때 같은 모양인 것은 1가지로 생각합니다.)

❶ 쌓기나무 1개를 더 놓을 수 있는 부분을 모두 찾으려고 합니다. 다음과 같이 주어진 모양 에 쌓기나무 1개를 더 놓을 수 있는 부분에 ○표 하세요. (단, 바닥에 닿은 부분은 생각하 지 않습니다.)

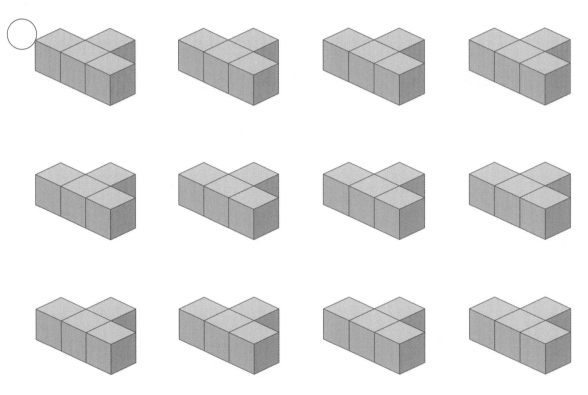

❷ 서로 같은 모양인 것 중 1개씩만 ×표 하세요.

❸ 만들 수 있는 서로 다른 모양은 모두 몇 가지인지 구해 보세요.

(   )

2 모양에 쌓기나무 1개를 더 붙여서 만들 수 있는 서로 다른 모양은 모두 몇 가지인지 구해 보세요. (단, 돌리거나 뒤집었을 때 같은 모양인 것은 1가지로 생각합니다.)

(   )

3 모양에 쌓기나무 1개를 더 붙여서 만들 수 있는 서로 다른 모양은 모두 몇 가지인지 구해 보세요. (단, 돌리거나 뒤집었을 때 같은 모양인 것은 1가지로 생각합니다.)

(   )

4 모양에 쌓기나무 1개를 더 붙여서 만들 수 있는 서로 다른 모양은 모두 몇 가지인지 구해 보세요. (단, 돌리거나 뒤집었을 때 같은 모양인 것은 1가지로 생각합니다.)

(   )

유형 **6** **조건에 따라 쌓기나무 모양 만들기** 추론

---

1 쌓기나무 7개를 사용하여 조건을 모두 만족하도록 쌓으려고 합니다. 모두 몇 가지로 쌓을 수 있는지 구해 보세요. (단, 돌리거나 뒤집었을 때 같은 모양인 것은 1가지로 생각합니다.)

조건
- 쌓기나무로 쌓은 모양은 3층입니다.
- 위에서 본 모양은 ▦ 입니다.

❶ 1층에 쌓은 쌓기나무의 개수를 구해 보세요.

( )

❷ 2층과 3층에 쌓은 쌓기나무의 개수를 각각 구해 보세요.

2층 ( ), 3층 ( )

❸ 조건을 만족하도록 위에서 본 모양의 각 자리에 수를 써넣으세요.

  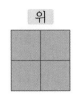

❹ 모두 몇 가지로 쌓을 수 있는지 구해 보세요.

( )

2 쌓기나무 10개를 사용하여 조건 을 모두 만족하도록 쌓으려고 합니다. 모두 몇 가지로 쌓을 수 있는지 구해 보세요. (단, 돌리거나 뒤집었을 때 같은 모양인 것은 1가지로 생각합니다.)

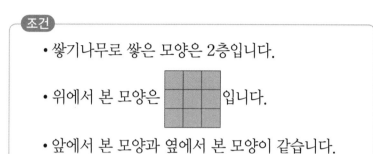

조건
- 쌓기나무로 쌓은 모양은 2층입니다.
- 위에서 본 모양은　　　입니다.
- 앞에서 본 모양과 옆에서 본 모양이 같습니다.

(　　　　　　　　　)

3 쌓기나무 8개를 사용하여 조건 을 모두 만족하도록 쌓으려고 합니다. 모두 몇 가지로 쌓을 수 있는지 구해 보세요. (단, 돌리거나 뒤집었을 때 같은 모양인 것은 1가지로 생각합니다.)

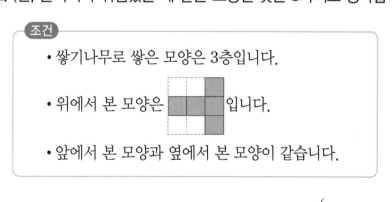

조건
- 쌓기나무로 쌓은 모양은 3층입니다.
- 위에서 본 모양은　　　입니다.
- 앞에서 본 모양과 옆에서 본 모양이 같습니다.

(　　　　　　　　　)

1 쌓기나무 15개로 주어진 모양과 똑같이 쌓고 남는 쌓기나무는 몇 개인지 구해 보세요.

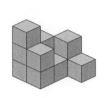 

위에서 본 모양

( )

2 쌓기나무로 쌓은 모양을 보고 위에서 본 모양에 수를 쓴 것입니다. 가와 나 모양의 3층에 쌓인 쌓기나무 개수의 합은 몇 개인지 구해 보세요.

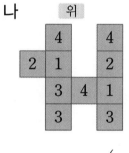

( )

3 쌓기나무로 쌓은 모양을 층별로 나타낸 모양입니다. 위, 앞, 옆에서 본 모양을 각각 그려 보세요.

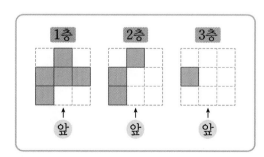 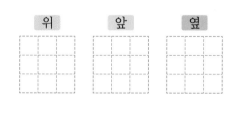

4 쌓기나무를 각각 4개씩 붙여서 만든 두 가지 모양을 사용하여 만들 수 있는 모양을 모두 찾아 기호를 써 보세요.

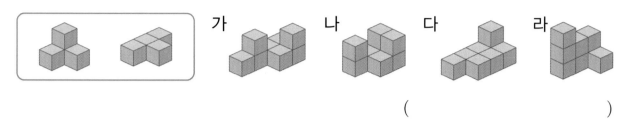

가　　　나　　　다　　　라

(　　　　　　　　　　　　)

5 쌓기나무 13개로 쌓은 모양과 위에서 본 모양입니다. 보이지 않는 부분에 쌓인 쌓기나무는 몇 개인지 구해 보세요.

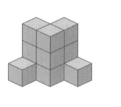 

위에서 본 모양

(　　　　　　　　　　　　)

6 쌓기나무로 쌓은 정육면체 모양의 바깥쪽 면을 모두 색칠했습니다. 두 면이 색칠된 쌓기나무의 개수와 세 면이 색칠된 쌓기나무의 개수의 차는 몇 개인지 구해 보세요. (단, 바닥에 닿은 면도 색칠된 것으로 생각합니다.)

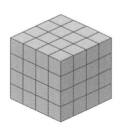

(　　　　　　　　　　　　)

7 쌓기나무로 쌓은 모양을 위, 앞, 옆에서 본 모양입니다. 쌓기나무를 가장 많이 사용했을 때와 가장 적게 사용했을 때의 쌓기나무 개수의 차를 구해 보세요.

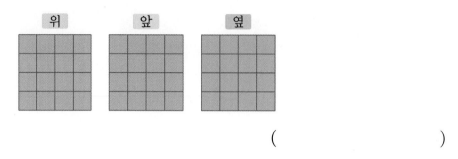

(   )

8 쌓기나무 12개로 쌓은 모양입니다. 빗금을 친 쌓기나무 위에 쌓기나무를 각각 1개씩 더 쌓은 모양을 앞에서 손전등으로 비추었을 때 생기는 그림자 모양을 찾아 기호를 써 보세요.

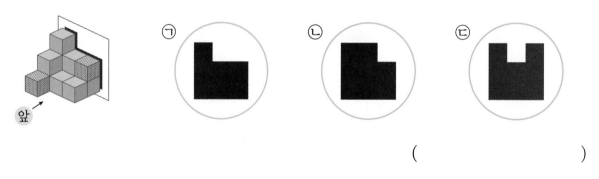

(   )

9 다음 모양과 똑같이 쌓으려고 합니다. 쌓기나무를 가장 많이 사용했을 때와 가장 적게 사용했을 때의 쌓기나무의 개수를 차례로 구해 보세요.

(   ), (   )

10 한 모서리의 길이가 4 cm인 정육면체 모양의 쌓기나무 12개로 쌓은 모양의 바깥쪽 면에 모두 색칠했다면 색칠한 부분의 넓이는 몇 cm²인지 구해 보세요. (단, 바닥에 닿은 면도 색칠한 것으로 생각합니다.)

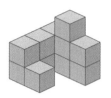

(   )

3 단원

11 다음 모양에 쌓기나무를 더 쌓아 가장 작은 정육면체 모양을 만들려고 합니다. 쌓기나무는 몇 개 더 필요한지 구해 보세요.

위에서 본 모양

(   )

12 위, 앞, 옆에서 본 모양이 모두 변하지 않도록 쌓기나무 1개를 빼내려고 합니다. 빼낼 수 있는 쌓기나무를 찾아 기호를 써 보세요.

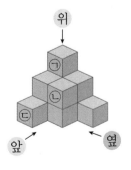

(   )

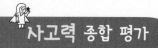

사고력 종합 평가

13 쌓기나무 4개로 만들 수 있는 서로 다른 모양은 모두 몇 가지인지 구해 보세요. (단, 돌리거나 뒤집었을 때 같은 모양인 것은 1가지로 생각합니다.)

( )

14 왼쪽과 같은 정육면체 모양에서 쌓기나무 몇 개를 빼내었더니 오른쪽과 같은 모양이 되었습니다. 빼낸 쌓기나무는 몇 개인지 구해 보세요.

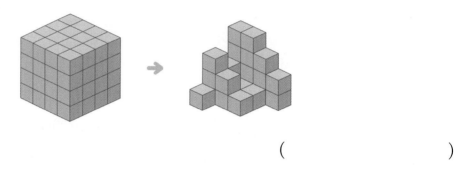

( )

15 쌓기나무 8개를 사용하여 조건을 모두 만족하도록 쌓으려고 합니다. 모두 몇 가지로 쌓을 수 있는지 구해 보세요. (단, 돌리거나 뒤집었을 때 같은 모양인 것은 1가지로 생각합니다.)

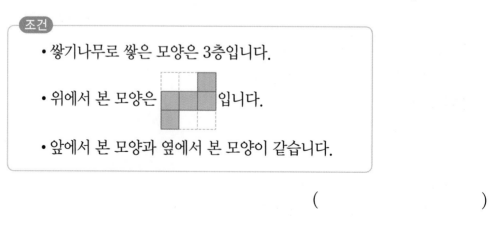

조건
• 쌓기나무로 쌓은 모양은 3층입니다.

• 위에서 본 모양은 ⬜ 입니다.

• 앞에서 본 모양과 옆에서 본 모양이 같습니다.

( )

④ 비례식과 비례배분

✿ 비의 성질 알아보기

$$7 : 9$$
전항 $\rightarrow$ $\quad$ $\leftarrow$ 후항

비의 전항과 후항에 0이 아닌 같은 수를 곱하여도 비율은 같습니다.

예 $1 : 3 \xrightarrow{\times 2} 2 : 6$
$\quad \underset{\times 2}{}$

비 $1 : 3$ 비율 $\dfrac{1}{3}$

비 $2 : 6$ 비율 $\dfrac{2}{6} = \dfrac{1}{3}$

비율이 같습니다. ←

비의 전항과 후항을 0이 아닌 같은 수로 나누어도 비율은 같습니다.

예 $2 : 8 \xrightarrow{\div 2} 1 : 4$
$\quad \underset{\div 2}{}$

비 $2 : 8$ 비율 $\dfrac{2}{8} = \dfrac{1}{4}$

비 $1 : 4$ 비율 $\dfrac{1}{4}$

비율이 같습니다. ←

✿ 간단한 자연수의 비로 나타내기

- **소수의 비**
  ➡ 소수점 아래 자릿수에 따라 비의 전항과 후항에 10, 100……을 곱합니다.
- **분수의 비**
  ➡ 비의 전항과 후항에 두 분모의 공배수를 곱합니다.
- **소수와 분수가 섞여 있는 비**
  ➡ 소수를 분수로 바꾸거나 분수를 소수로 바꾼 후에 간단한 자연수의 비로 나타냅니다.

✿ 비례식 알아보기

외항
$$1 : 2 = 4 : 8$$
내항

- **비례식**: 비율이 같은 두 비를 기호 '='를 사용하여 나타낸 식
- **외항**: 비례식에서 바깥쪽에 있는 두 수
- **내항**: 비례식에서 안쪽에 있는 두 수

✿ 비례식의 성질 알아보기

비례식에서 외항의 곱과 내항의 곱은 같습니다.

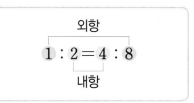

예 $3 : 5 = 12 : 20$ $\quad$ 외항의 곱: $3 \times 20 = 60$
$\quad$ 내항의 곱: $5 \times 12 = 60$

같습니다. ←

✿ 비례배분 알아보기

비례배분: 전체를 주어진 비로 배분하는 것

예 8을 $3 : 1$로 나누기

$$8 \times \dfrac{3}{3+1} = 8 \times \dfrac{3}{4} = 6$$

$$8 \times \dfrac{1}{3+1} = 8 \times \dfrac{1}{4} = 2$$

1 18 : 14와 비율이 같은 비 중에서 전항과 후항의 차가 10인 비를 구해 보세요.

주어진 비를 간단한 자연수의 비로 나타내 봐.

전항과 후항에 같은 수를 곱해 비율이 같은 비를 구해 봐.

민기

예지

❶ 18과 14의 최대공약수를 구해 보세요.

( )

❷ 18 : 14를 ❶에서 구한 최대공약수로 나누어 간단한 자연수의 비로 나타내어 보세요.

( )

❸ ❷에서 구한 비와 비율이 같은 비를 전항이 작은 순서대로 4개 써 보세요.

_____

_____

❹ ❸에서 구한 비 중에서 전항과 후항의 차가 10인 비를 구해 보세요.

( )

2 40 : 24와 비율이 같은 비 중에서 전항과 후항의 차가 8인 비를 구해 보세요.

(   )

3 1.1 : 0.6과 비율이 같은 비 중에서 전항과 후항의 합이 85인 비를 구해 보세요.

(   )

4 두 사람의 대화에 알맞은 비를 구해 보세요.

$1\frac{1}{2}$: 0.8과 비율이 같아.

서희

전항과 후항의 차가 28이야.

윤하

(   )

1 직사각형 가와 나의 세로는 같습니다. 두 직사각형 가와 나의 넓이의 합이 220 cm²일 때 가와 나의 넓이를 각각 구해 보세요.

❶ □ 안에 알맞은 말을 써넣으세요.

$$(직사각형의 넓이) = (\boxed{}) \times (세로)$$

❷ 알맞은 말에 ○표 하세요.

두 직사각형의 세로가 같을 때 넓이의 비는 가로의 비와 (같습니다 , 다릅니다).

❸ 두 직사각형의 넓이의 비를 간단한 자연수의 비로 나타내어 보세요.

( )

❹ 직사각형 가와 나의 넓이를 각각 구해 보세요.

가의 넓이 ( )

나의 넓이 ( )

2 두 평행사변형 가와 나의 높이는 같습니다. 두 평행사변형 가와 나의 넓이의 합은 306 cm²입니다. 평행사변형 나의 넓이는 몇 cm²인지 구해 보세요.

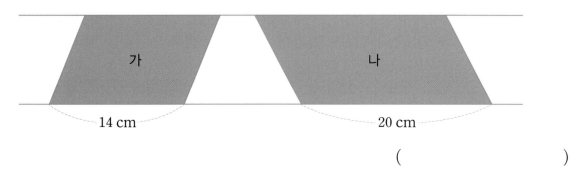

14 cm   20 cm

(   )

3 두 삼각형 가와 나의 높이는 같습니다. 삼각형 가와 나의 넓이의 합은 96 cm²입니다. 삼각형 가의 넓이는 몇 cm²인지 구해 보세요.

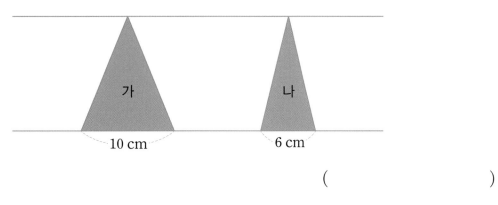

10 cm   6 cm

(   )

4 삼각형 ㄱㄴㄷ에서 선분 ㄴㄹ과 선분 ㄹㄷ의 길이의 비는 6 : 8입니다. 삼각형 ㄱㄴㄹ의 넓이가 27 cm²일 때 삼각형 ㄱㄴㄷ의 넓이는 몇 cm²인지 구해 보세요.

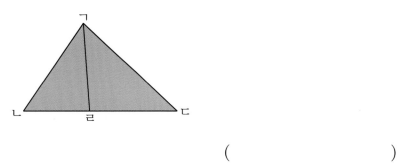

(   )

유형 ③ 추론

도형의 넓이의 비 구하기

1 다음 그림과 같이 원과 삼각형이 겹쳐져 있습니다. 겹쳐진 부분의 넓이는 원의 넓이의 $\dfrac{1}{4}$ 이고, 삼각형의 넓이의 $\dfrac{2}{5}$ 입니다. 원과 삼각형의 넓이의 비를 간단한 자연수의 비로 나타내어 보세요.

❶ 겹쳐진 부분의 넓이의 관계를 식으로 나타내어 보세요.

$$(\text{원의 넓이}) \times \boxed{} = (\text{삼각형의 넓이}) \times \boxed{}$$

❷ 원과 삼각형의 넓이의 비를 비례식으로 나타내어 보세요.

$$(\text{원의 넓이}) : (\text{삼각형의 넓이}) = \boxed{} : \boxed{}$$

❸ 원과 삼각형의 넓이의 비를 간단한 자연수의 비로 나타내어 보세요.

(   )

2 다음 그림과 같이 직사각형 ㉮와 원 ㉯가 겹쳐져 있습니다. 겹쳐진 부분의 넓이는 ㉮의 넓이의 $\frac{3}{8}$, ㉯의 넓이의 $\frac{1}{5}$입니다. ㉮와 ㉯의 넓이의 비를 간단한 자연수의 비로 나타내어 보세요.

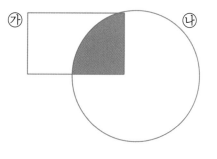

(   )

3 다음 그림과 같이 삼각형 ㉮와 사각형 ㉯가 겹쳐져 있습니다. 겹쳐진 부분의 넓이는 ㉮의 넓이의 $\frac{4}{7}$, ㉯의 넓이의 $\frac{2}{9}$입니다. ㉮와 ㉯의 넓이의 비를 간단한 자연수의 비로 나타내어 보세요.

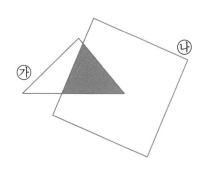

(   )

4 원 ㉮와 삼각형 ㉯가 겹쳐져 있습니다. ㉮에서 겹쳐지지 않은 부분의 넓이는 ㉮의 넓이의 $\frac{5}{7}$이고, ㉯에서 겹쳐지지 않은 부분의 넓이는 ㉯의 넓이의 $\frac{3}{4}$입니다. ㉮와 ㉯의 넓이의 비를 간단한 자연수의 비로 나타내어 보세요.

(   )

1 ▲와 ★의 비를 간단한 자연수의 비로 나타내어 보세요.

$$3.5 : 1\frac{1}{2} = ▲ : 0.6$$

$$5 : 8 = ★ : 2.4$$

❶ ▲에 알맞은 수를 구해 보세요.

(　　　　　　　　)

❷ ★에 알맞은 수를 구해 보세요.

(　　　　　　　　)

❸ ▲와 ★의 비를 써 보세요.

(　　　　　　　　)

❹ ▲와 ★의 비를 간단한 자연수의 비로 나타내어 보세요.

(　　　　　　　　)

2 ♥와 ⊙의 비를 간단한 자연수의 비로 나타내어 보세요.

$$0.5 : ♥ = 15 : 21$$

$$\frac{1}{2} : \frac{1}{7} = 14 : ⊙$$

(   )

3 ★와 ◆의 비를 간단한 자연수의 비로 나타내어 보세요.

$$1.5 : ★ = 30 : 16$$

$$21 : 40 = \frac{7}{10} : ◆$$

(   )

4 ㉮와 ㉯의 비를 간단한 자연수의 비로 나타내어 보세요.

㉮ : 0.3은 6 : 9와 비율이 같아.

현서

1.6 : ㉯는 4 : 2와 비율이 같아.

은주

(   )

1 서희와 준우가 각각 돈을 투자하여 얻은 이익금을 투자한 금액의 비로 나누어 가졌습니다. 서희가 가져간 이익금이 24만 원이라면 두 사람이 얻은 총 이익금은 얼마인지 구해 보세요.

난 120만 원을 투자했어.

서희

난 150만 원을 투자했어.

준우

❶ 서희와 준우가 투자한 금액의 비를 써 보세요.

( )

❷ 서희와 준우가 투자한 금액의 비를 간단한 자연수의 비로 나타내어 보세요.

( )

❸ 서희가 총 이익금의 얼만큼을 가졌는지 기약분수로 나타내어 보세요.

( )

❹ 두 사람이 얻은 총 이익금은 얼마인지 구해 보세요.

( )

2 혜미와 선영이가 각각 100만 원, 160만 원을 투자하여 얻은 이익금을 투자한 금액의 비로 나누어 가졌습니다. 선영이가 가져간 이익금이 48만 원이라면 두 사람이 얻은 총 이익금은 얼마인지 구해 보세요.

(   )

3 소연이와 윤아가 각각 36만 원, 60만 원을 투자하여 얻은 이익금을 투자한 금액의 비로 나누어 가졌습니다. 소연이가 가져간 이익금이 12만 원이라면 두 사람이 얻은 총 이익금은 얼마인지 구해 보세요.

(   )

4 단원

4 언니가 350만 원, 동생이 150만 원을 투자하여 이익금으로 70만 원을 얻었습니다. 이익금을 투자한 금액의 비로 나눌 때 언니와 동생이 갖는 이익금을 각각 구해 보세요.

언니 (   )

동생 (   )

1 수지는 할머니 댁에 가려고 합니다. 축적이 1 : 20000인 지도를 보고 집에서 출발하여 놀이터를 거쳐 가는 것과 병원을 거쳐 가는 경우 중 어느 곳을 거쳐 가는 길이 몇 km 더 가까운지 구해 보세요.

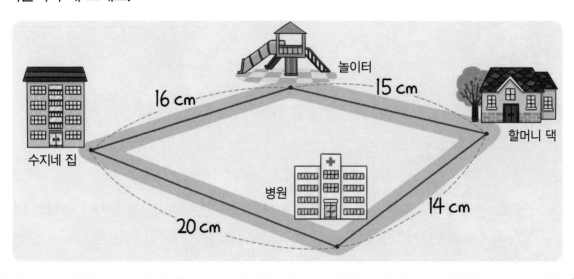

❶ 집에서 놀이터를 거쳐 가는 길과 병원을 거쳐 가는 길의 지도상에서 거리의 차는 몇 cm 인지 구해 보세요.

(   )

❷ 실제 거리의 차는 몇 km인지 구해 보세요.

(   )

❸ 어느 곳을 거쳐 가는 길이 몇 km 더 가까운지 구해 보세요.

(   ), (   )

2 다음은 축척이 1 : 50000인 지도입니다. 우체국에서 출발하여 병원을 거쳐 집까지 가는 실제 거리는 몇 km인지 구해 보세요.

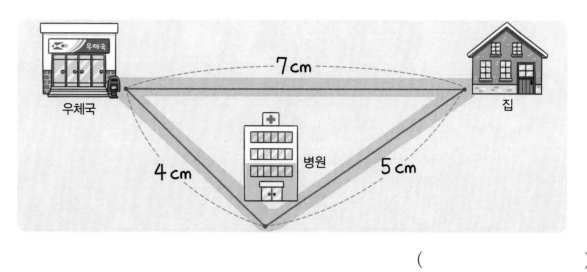

(   )

3 다음은 축척이 1 : 5000인 지도입니다. 학교에서 집으로 바로 가는 길은 우체국을 거쳐 가는 길보다 몇 km 더 가까운지 구해 보세요.

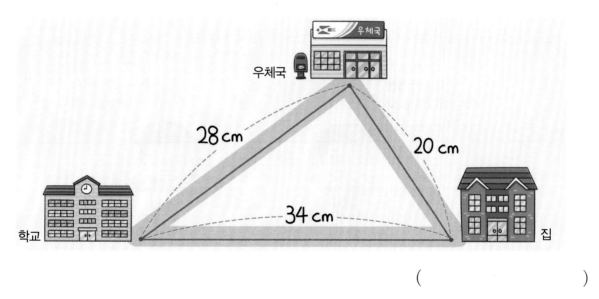

(   )

1 3 : 7과 비율이 같고 전항이 15보다 작은 자연수의 비는 몇 개인지 구해 보세요.

( )

2 비율이 $\dfrac{5}{9}$이고 후항이 27인 비가 있습니다. 전항은 얼마인지 구해 보세요.

( )

3 강호와 민기의 몸무게의 비를 간단한 자연수의 비로 나타내어 보세요.

내 몸무게는 45.2 kg이야.

난 너보다 1.8 kg 가볍지.

강호

민기

( )

4 같은 일을 하는 데 현수는 5시간, 승기는 6시간 걸립니다. 현수와 승기가 1시간 동안 한 일의 양의 비를 간단한 자연수의 비로 나타내어 보세요.

(   )

5 직사각형 가와 나의 세로는 같습니다. 직사각형 가와 나의 넓이의 합이 224 cm²입니다. 직사각형 가의 넓이를 구해 보세요.

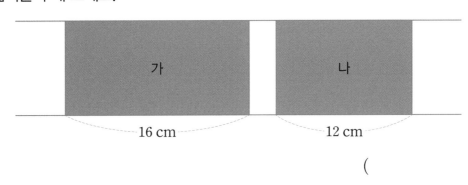

가

나

16 cm   12 cm

(   )

6 바닷물 4 L를 증발시켜 36 g의 소금을 얻을 수 있습니다. 대야에 있던 바닷물을 증발시켜 90 g의 소금을 얻었습니다. 대야에 있던 바닷물은 몇 L인지 구해 보세요.

(   )

7 두 대각선의 길이의 비가 4 : 3인 마름모가 있습니다. 이 마름모의 짧은 대각선의 길이가 12 cm라면 마름모의 넓이는 몇 cm²인지 구해 보세요.

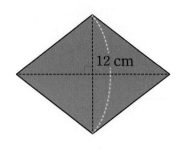

(   )

8 가은이가 일주일 동안 일을 해서 번 돈은 45500원입니다. 4일 동안 일을 한다면 얼마를 벌 수 있는지 구해 보세요.

(   )

9 ♥와 ◆의 비를 간단한 자연수의 비로 나타내어 보세요.

$$7 : 5 = 28 : ♥$$

$$1.2 : 1\frac{4}{5} = ◆ : 6$$

(   )

10 올해 삼촌의 나이는 30살이고 영주의 나이와 삼촌의 나이의 비는 2 : 5입니다. 4년 후 영주와 삼촌의 나이의 비를 간단한 자연수의 비로 나타내어 보세요.

(   )

11 다음 그림과 같이 원 ㉮와 삼각형 ㉯가 겹쳐져 있습니다. 겹쳐진 부분의 넓이는 ㉮의 넓이의 $\frac{3}{7}$, ㉯의 넓이의 $\frac{1}{4}$입니다. ㉮와 ㉯의 넓이의 비를 간단한 자연수의 비로 나타내어 보세요.

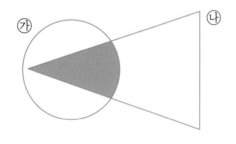

(   )

12 길이가 9 m인 색 테이프를 진영이와 예서가 8 : 7의 비로 나누어 가졌습니다. 두 사람이 가진 색 테이프 중에서 누구의 색 테이프가 몇 cm 더 긴지 구해 보세요.

(   ), (   )

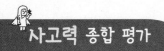

13 축척이 1 : 25000인 지도에서 학교에서 마트까지 거리를 자로 재었더니 9 cm일 때 실제 거리는 몇 km인지 구해 보세요.

(   )

14 승철이와 지윤이가 각각 140만 원, 200만 원을 투자하여 얻은 이익금을 투자한 금액의 비로 나누어 가졌습니다. 승철이가 가져간 이익금이 63만 원이라면 두 사람이 얻은 총 이익금은 얼마인지 구해 보세요.

(   )

15 액자는 가로와 세로의 비가 5 : 4인 직사각형입니다. 액자의 둘레가 324 cm일 때 이 액자의 넓이를 구해 보세요.

(   )

원의 넓이

✿ 원주와 지름의 관계 알아보기

원주: 원의 둘레

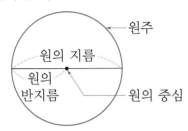

원의 지름이 길어지면 원주도 길어집니다.

✿ 원주율 알아보기

원주율: 원의 지름에 대한 원주의 비율

(원주율)=(원주)÷(지름)

원주율을 소수로 나타내면
3.1415926535897932……와 같이 끝없이 계속됩니다. 따라서 필요에 따라 3, 3.1, 3.14 등으로 어림하여 사용하기도 합니다.

원의 크기와 상관없이 원주율은 일정합니다.

✿ 원주와 지름 구하기

• 지름을 알 때 원주를 구하는 방법
(원주율)=(원주)÷(지름)
➡ (원주)=(지름)×(원주율)

• 원주를 알 때 지름을 구하는 방법
(원주율)=(원주)÷(지름)
➡ (지름)=(원주)÷(원주율)

✿ 반지름이 5 cm인 원의 넓이 어림하기

• 정사각형으로 원의 넓이 어림하기

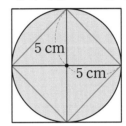

→ 원 안에 있는 정사각형의 넓이
$50 \, cm^2 <$ (원의 넓이)
$< 100 \, cm^2$
원 밖에 있는 ←
정사각형의 넓이

• 모눈종이를 이용하여 원의 넓이 어림하기

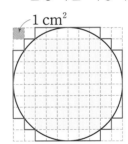

→ 노란색 모눈의 넓이
$60 \, cm^2 <$ (원의 넓이)
$< 88 \, cm^2$
빨간색 선 안쪽 ←
모눈의 넓이

✿ 원의 넓이 구하는 방법 알아보기

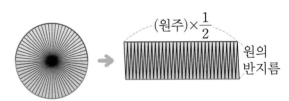

(원의 넓이)=(원주)$\times \frac{1}{2} \times$(반지름)

=(원주율)$\times$(지름)$\times \frac{1}{2} \times$(반지름)

=(원주율)$\times$(반지름)$\times$(반지름)

(원의 넓이)=(반지름)$\times$(반지름)$\times$(원주율)

1 원주가 48 cm인 원 모양의 피자를 똑같이 나누어 먹었습니다. 남은 피자의 넓이는 몇 cm² 인지 구해 보세요. (원주율: 3)

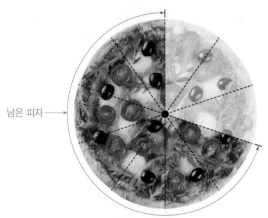

남은 피자 →

▲ 출처 ⓒvitals/shutterstock

① 피자의 반지름은 몇 cm인지 구해 보세요.

(   )

② 피자 전체의 넓이는 몇 cm²인지 구해 보세요.

(   )

③ 남은 피자는 전체 피자의 몇 분의 몇인지 분수로 나타내어 보세요.

(   )

④ 남은 피자의 넓이는 몇 cm²인지 구해 보세요.

(   )

2 원주가 72 cm인 원 모양의 피자를 똑같이 나누어 먹었습니다. 남은 피자의 넓이는 몇 cm²인지 구해 보세요. (원주율: 3)

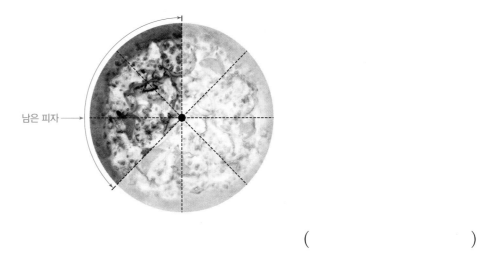

남은 피자 →

(   )

3 반지름이 10 cm인 원 모양의 피자를 똑같이 나누어 먹었습니다. 남은 피자의 넓이는 몇 cm²인지 구해 보세요. (원주율: 3.14)

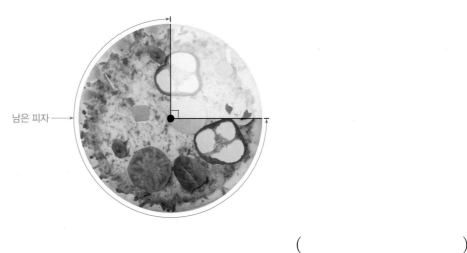

남은 피자 →

(   )

1 색칠한 부분의 둘레는 몇 cm인지 구해 보세요. (원주율: 3)

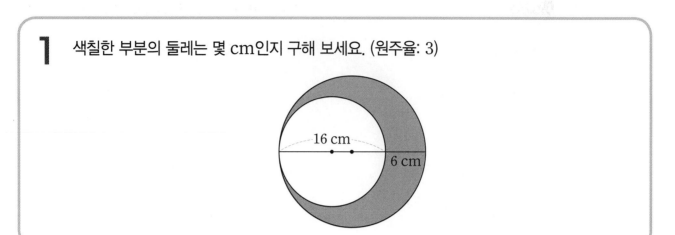

❶ 큰 원의 지름은 몇 cm인지 구해 보세요.

(   )

❷ 큰 원의 원주는 몇 cm인지 구해 보세요.

(   )

❸ 작은 원의 원주는 몇 cm인지 구해 보세요.

(   )

❹ 색칠한 부분의 둘레는 몇 cm인지 구해 보세요.

(   )

2 색칠한 부분의 둘레는 몇 cm인지 구해 보세요. (원주율: 3.1)

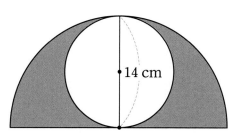

14 cm

(   )

3 색칠한 부분의 둘레는 몇 cm인지 구해 보세요. (원주율: 3.14)

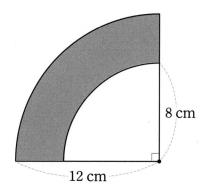

8 cm

12 cm

(   )

유형 ③ 거리 구하기

창의·융합

1 지애는 원 모양의 바퀴 자를 사용하여 집에서 학교까지의 거리를 알아보려고 합니다. 다음을 보고 집에서 학교까지의 거리는 몇 m인지 구해 보세요. (원주율: 3)

① 바퀴 자가 한 바퀴 돈 거리는 몇 cm인지 구해 보세요.

( )

② 바퀴 자가 150바퀴 돈 거리는 몇 cm인지 구해 보세요.

( )

③ 100 cm는 몇 m일까요?

( )

④ 집에서 학교까지의 거리는 몇 m인지 구해 보세요.

( )

2 지름이 40 cm인 원 모양의 바퀴 자를 사용하여 집에서 도서관까지의 거리를 알아보려고 합니다. 바퀴 자가 200바퀴 돌았다면 집에서 도서관까지의 거리는 몇 m인지 구해 보세요. (원주율: 3.1)

(   )

3 영호는 원 모양의 바퀴 자를 사용하여 집에서 우체국까지의 거리를 알아보았습니다. 다음을 보고 바퀴 자는 몇 바퀴 돈 것인지 구해 보세요. (원주율: 3.14)

내가 사용한 바퀴 자의 지름은 50 cm야.

집에서 우체국까지의 거리는 471 m야.

(   )

4 원 모양의 바퀴 자가 500바퀴 굴러간 거리가 675 m입니다. 이 바퀴 자의 지름은 몇 cm인지 구해 보세요. (원주율: 3)

(   )

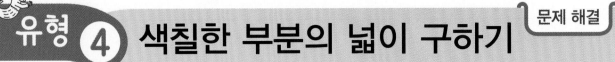

유형 **④ 색칠한 부분의 넓이 구하기** 문제 해결

1 색칠한 부분의 넓이는 몇 cm²인지 구해 보세요. (원주율: 3)

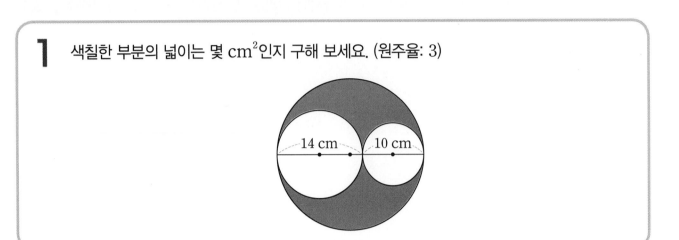

❶ 가장 큰 원의 넓이는 몇 cm²인지 구해 보세요.

(   )

❷ 중간 원의 넓이는 몇 cm²인지 구해 보세요.

(   )

❸ 가장 작은 원의 넓이는 몇 cm²인지 구해 보세요.

(   )

❹ 색칠한 부분의 넓이는 몇 cm²인지 구해 보세요.

(   )

2 색칠한 부분의 넓이는 몇 cm²인지 구해 보세요. (원주율: 3.1)

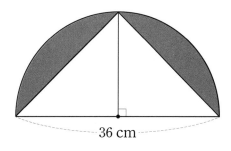

36 cm

(   )

3 색칠한 부분의 넓이는 몇 cm²인지 구해 보세요. (원주율: 3.14)

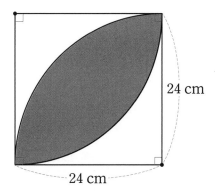

24 cm

24 cm

(   )

사용한 끈의 길이 구하기

1 크기가 같은 원 모양의 음료수 캔 4개를 그림과 같이 끈으로 한 번 묶었습니다. 매듭의 길이는 생각하지 않을 때, 사용한 끈의 길이는 몇 cm인지 구해 보세요. (원주율: 3)

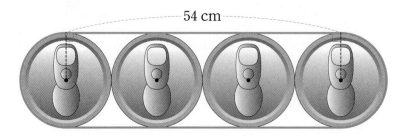

54 cm

❶ 음료수 캔의 반지름은 몇 cm인지 구해 보세요.

(   )

❷ 곡선 부분의 길이의 합은 몇 cm인지 구해 보세요.

(   )

❸ 직선 부분의 길이의 합은 몇 cm인지 구해 보세요.

(   )

❹ 사용한 끈의 길이는 몇 cm인지 구해 보세요.

(   )

2 크기가 같은 원 모양의 음료수 캔 8개를 그림과 같이 끈으로 한 번 묶었습니다. 매듭의 길이는 생각하지 않을 때, 사용한 끈의 길이는 몇 cm인지 구해 보세요. (원주율: 3.1)

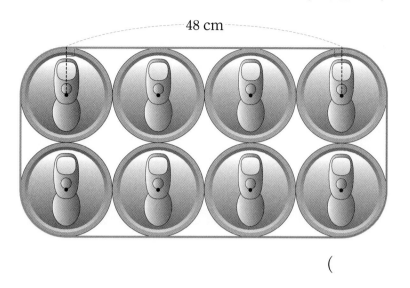

(   )

3 크기가 같은 원 모양의 음료수 캔 3개를 그림과 같이 끈으로 한 번 묶었습니다. 매듭으로 사용한 끈의 길이가 10 cm일 때, 사용한 끈의 길이는 몇 cm인지 구해 보세요. (원주율: 3.14)

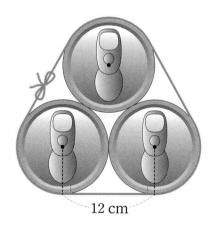

(   )

1 지름이 5 cm인 원판을 시계 방향으로 굴린 거리가 82.5 cm입니다. 빈 곳에 알맞게 색칠해 보세요. (단, 원판이 1바퀴 굴러간 것은 시계 방향으로 360°만큼 돈 것입니다.) (원주율: 3)

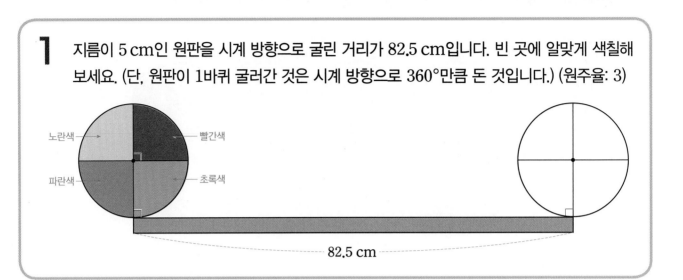

노란색   빨간색
파란색   초록색

82.5 cm

① 원판이 1바퀴 굴러간 거리는 몇 cm인지 구해 보세요.

(   )

② 원판은 몇 바퀴 굴러간 것인지 구해 보세요.

(   )

③ 알맞은 말에 ○표 하세요.

원판은 1바퀴, 2바퀴, 3바퀴…… 굴러갈 때마다 처음과 (같아집니다 , 달라집니다).

④ 빈 곳에 알맞게 색칠해 보세요.

2 지름이 8 cm인 원판을 시계 방향으로 굴린 거리가 179.8 cm입니다. 빈 곳에 알맞게 색칠해
보세요. (단, 원판이 1바퀴 굴러간 것은 시계 방향으로 360°만큼 돈 것입니다.) (원주율: 3.1)

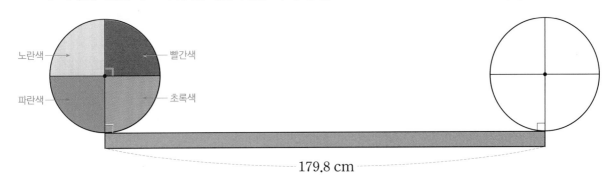

3 지름이 10 cm인 원판을 시계 방향으로 굴린 거리가 274.75 cm입니다. 빈 곳에 알맞게 색칠해
보세요. (단, 원판이 1바퀴 굴러간 것은 시계 방향으로 360°만큼 돈 것입니다.) (원주율: 3.14)

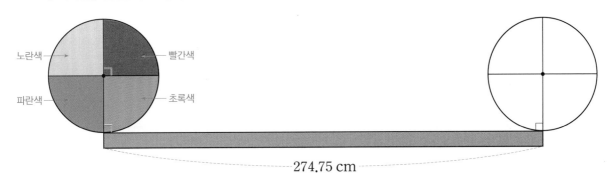

1 오른쪽과 같이 컴퍼스를 벌려서 원을 그렸습니다. 그린 원의 원주를 구해 보세요. (원주율: 3)

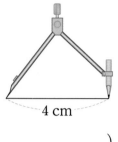

4 cm

(   )

2 바깥쪽 지름이 35 cm인 굴렁쇠를 몇 바퀴 굴린 거리가 다음과 같습니다. 굴렁쇠를 몇 바퀴 굴린 것인지 구해 보세요. (원주율: 3)

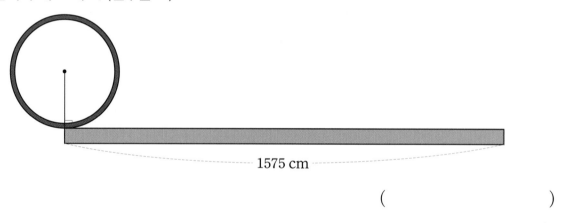

1575 cm

(   )

3 근우는 부채를 보고 다음과 같이 원의 일부분을 그렸습니다. 근우가 그린 도형의 넓이는 몇 cm^{2}인지 구해 보세요. (원주율: 3)

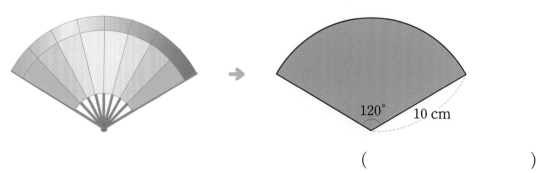

120°   10 cm

(   )

4 색칠한 부분의 둘레를 구해 보세요. (원주율: 3)

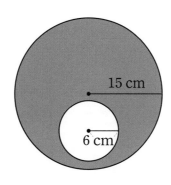

(　　　　　　　　)

5 다음과 같은 모양의 운동장의 넓이는 몇 m²인지 구해 보세요. (원주율: 3)

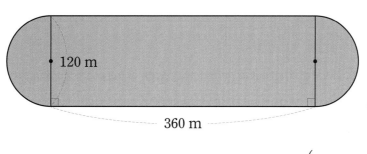

(　　　　　　　　)

6 직사각형과 원의 넓이가 같습니다. 원의 원주는 몇 cm인지 구해 보세요. (원주율: 3)

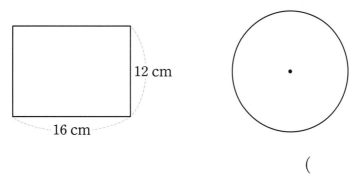

(　　　　　　　　)

7 원주가 84 cm인 원 모양의 피자를 똑같이 나누어 먹었습니다. 남은 피자의 넓이는 몇 cm²인지 구해 보세요. (원주율: 3)

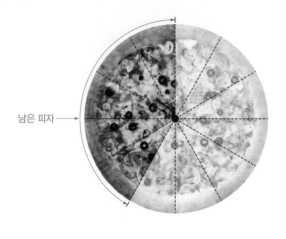

남은 피자

(   )

8 지름이 42 cm인 원 모양의 바퀴 자를 사용하여 집에서 경찰서까지의 거리를 알아보려고 합니다. 바퀴 자가 150바퀴 돌았다면 집에서 경찰서까지의 거리는 몇 m인지 구해 보세요. (원주율: 3)

(   )

9 사다리꼴의 넓이가 130 cm²일 때 색칠한 부분의 넓이는 몇 cm²인지 구해 보세요. (원주율: 3)

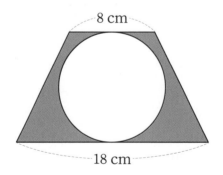

8 cm

18 cm

(   )

10 두 원을 이어 붙여서 만든 도형입니다. 도형의 둘레는 몇 cm인지 구해 보세요. (원주율: 3)

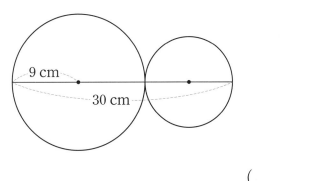

(   )

11 원 모양의 호수 둘레에 6.28 m의 간격으로 의자가 50개 놓여 있습니다. 이 호수의 넓이는 몇 m²인지 구해 보세요. (단, 의자의 길이는 생각하지 않습니다.) (원주율: 3.14)

(   )

12 크기가 같은 원 모양의 음료수 캔 6개를 그림과 같이 끈으로 한 번 묶었습니다. 매듭의 길이는 생각하지 않을 때, 사용한 끈의 길이는 몇 cm인지 구해 보세요. (원주율: 3)

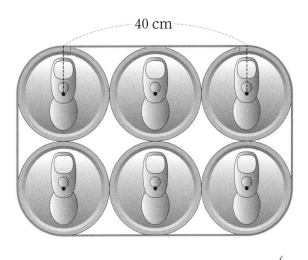

40 cm

(   )

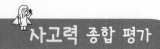

13 직사각형 모양의 색종이를 잘라 가장 큰 원을 만들었습니다. 원을 만들고 남은 색종이의 넓이는 몇 cm²인지 구해 보세요. (원주율: 3)

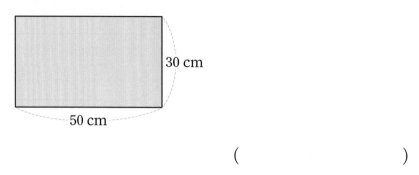

30 cm

50 cm

( )

14 지름이 12 cm인 원판을 시계 방향으로 굴린 거리가 333 cm입니다. 빈 곳에 알맞게 색칠해 보세요. (단, 원판이 1바퀴 굴러간 것은 시계 방향으로 360°만큼 돈 것입니다.) (원주율: 3)

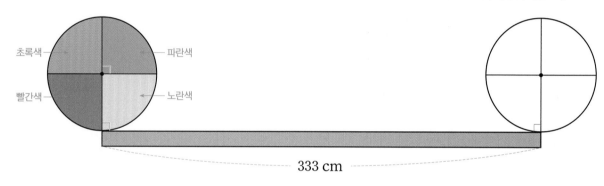

초록색   파란색

빨간색   노란색

333 cm

15 태극기의 중앙에 있는 태극 문양입니다. 태극 문양의 지름은 태극기의 세로의 $\frac{1}{2}$입니다. 태극기의 세로가 32 cm일 때, 태극 문양 중 파란색 부분의 둘레는 몇 cm인지 구해 보세요. (원주율: 3)

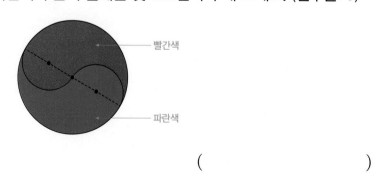

빨간색

파란색

( )

6 원기둥, 원뿔, 구

✿ 원기둥 알아보기

- 밑면: 서로 평행하고 합동인 두 면
  ➡ 두 밑면은 평평한 원입니다.
- 옆면: 두 밑면과 만나는 면
  ➡ 옆면은 굽은 면입니다.
- 높이: 두 밑면에 수직인 선분의 길이

✿ 원기둥의 전개도 알아보기

원기둥의 전개도: 원기둥을 잘라서 펼쳐 놓은 그림

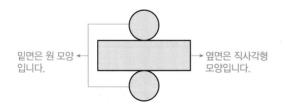

밑면은 원 모양 입니다. ◀

▶ 옆면은 직사각형 모양입니다.

> (옆면의 가로)
> =(밑면의 둘레)
> =(밑면의 지름)×(원주율)
> =(밑면의 반지름)×2×(원주율)
> (옆면의 세로)=(원기둥의 높이)

✿ 원뿔 알아보기

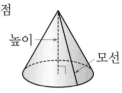

- 밑면: 평평한 면
  ➡ 밑면은 원입니다.
- 옆면: 옆을 둘러싼 굽은 면
- 원뿔의 꼭짓점: 뾰족한 부분의 점
- 모선: 원뿔의 꼭짓점과 밑면인 원의 둘레의 한 점을 이은 선분
  ➡ 모선은 무수히 많습니다.
- 높이: 원뿔의 꼭짓점에서 밑면에 수직인 선분의 길이

✿ 구 알아보기

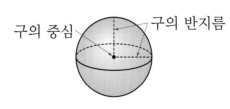

- 구의 중심: 구에서 가장 안쪽에 있는 점
- 구의 반지름: 구의 중심에서 구의 겉면의 한 점을 이은 선분
  ➡ 구의 반지름은 모두 같고 무수히 많습니다.

1 한 변을 기준으로 직각삼각형 모양의 종이를 한 바퀴 돌려 얻은 두 입체도형의 밑면의 반지름의 차는 몇 cm인지 구해 보세요.

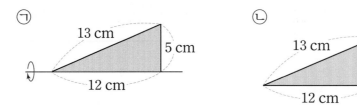

① 알맞은 말에 ○표 하세요.

> 한 변을 기준으로 직각삼각형 모양의 종이를 한 바퀴 돌리면 (원기둥 , 원뿔)이 됩니다.

② ㉠에서 얻은 입체도형의 밑면의 반지름은 몇 cm인지 구해 보세요.

(   )

③ ㉡에서 얻은 입체도형의 밑면의 반지름은 몇 cm인지 구해 보세요.

(   )

④ 두 입체도형의 밑면의 반지름의 차는 몇 cm인지 구해 보세요.

(   )

2 한 변을 기준으로 직각삼각형 모양의 종이를 한 바퀴 돌려 얻은 두 입체도형의 높이의 차는 몇 cm인지 구해 보세요.

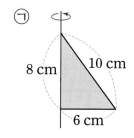
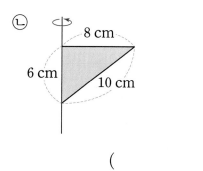

(   )

3 한 변을 기준으로 직사각형 모양의 종이를 한 바퀴 돌려 얻은 두 입체도형의 밑면의 지름의 합은 몇 cm인지 구해 보세요.

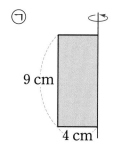
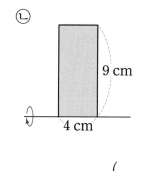

(   )

4 한 변을 기준으로 직사각형과 직각삼각형 모양의 종이를 각각 한 바퀴 돌려 입체도형을 얻었습니다. 두 입체도형의 높이의 차는 몇 cm인지 구해 보세요.

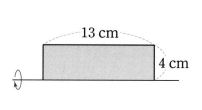
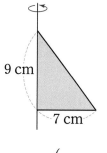

(   )

1 현우는 미술 시간에 원기둥과 원뿔 모양을 이용해 집 모양을 만들었습니다. 집 모양을 앞에서 본 모양의 넓이를 구해 보세요.

❶ 원기둥 모양을 앞에서 본 모양을 써 보세요.

(   )

❷ 원기둥 모양을 앞에서 본 모양의 넓이를 구해 보세요.

(   )

❸ 원뿔 모양을 앞에서 본 모양을 써 보세요.

(   )

❹ 원뿔 모양을 앞에서 본 모양의 넓이를 구해 보세요.

(   )

❺ 집 모양을 앞에서 본 모양의 넓이를 구해 보세요.

(   )

2 앞에서 본 모양의 넓이를 구해 보세요.

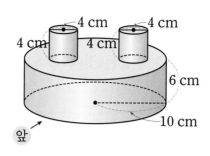

(   )

3 위에서 본 모양의 넓이를 구해 보세요. (원주율: 3)

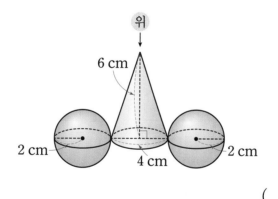

(   )

4 옆에서 본 모양의 넓이가 24 cm²일 때, ☐ 안에 알맞은 수를 구해 보세요.

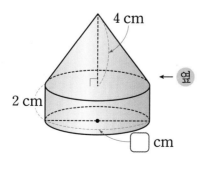

(   )

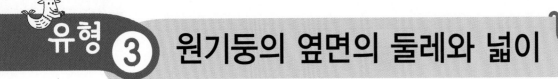

1 원기둥을 펼쳤을 때 옆면의 넓이가 넓은 것부터 차례대로 기호를 써 보세요. (원주율: 3.1)

❶ □ 안에 알맞은 말을 써 넣으세요.

(1)
원기둥의 전개도에서 옆면의 가로는 [   ]와/과 같습니다.

(2)
원기둥의 전개도에서 옆면의 세로는 [   ]와/과 같습니다.

❷ ㉠, ㉡, ㉢을 펼쳤을 때 옆면의 가로를 각각 구해 보세요.

㉠ (　), ㉡ (　　), ㉢ (   )

❸ ㉠, ㉡, ㉢을 펼쳤을 때 옆면의 넓이를 각각 구해 보세요.

㉠ (　), ㉡ (　　), ㉢ (   )

❹ 옆면의 넓이가 넓은 것부터 차례대로 기호를 써 보세요.

(   )

2 다음 원기둥을 펼쳤을 때 옆면의 둘레는 몇 cm인지 구해 보세요. (원주율: 3.1)

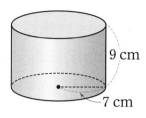

9 cm
7 cm

(   )

3 한 변을 기준으로 직사각형 모양의 종이를 한 바퀴 돌려서 입체도형을 만들었습니다. 만든 입체도형을 펼쳤을 때 옆면의 둘레는 몇 cm인지 구해 보세요. (원주율: 3.14)

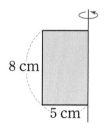

8 cm
5 cm

(   )

6
단원

4 윤하가 보고 있는 원기둥을 펼쳤을 때 옆면의 넓이를 구해 보세요. (원주율: 3.1)

밑면의 지름은 4 cm이고 앞에서 본 모양은 정사각형이야.

윤하

앞

(   )

유형 ④ 가장 높은 전개도 그리기

1 진우는 가로가 20 cm, 세로가 10 cm인 도화지에 밑면의 반지름이 2 cm인 원기둥의 전 개도를 그리고 오려 붙여 원기둥을 만들려고 합니다. 높이가 최대한 높은 원기둥을 만들려 고 할 때 원기둥의 높이를 구해 보세요. (원주율: 3)

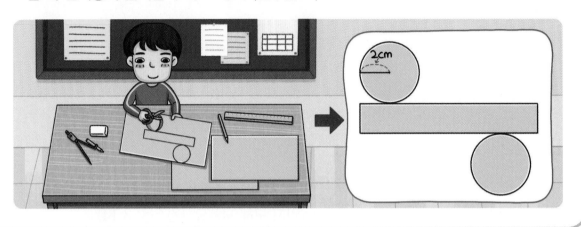

① 옆면의 가로를 구해 보세요.

(   )

② 알맞은 말에 ○표 하세요.

> 진우가 그린 원기둥의 전개도는 옆면의 가로가 도화지의 가로보다 (길고 , 짧고),
> 도화지의 세로보다 (깁니다 , 짧습니다).

③ 원기둥의 전개도를 그려 보세요.

1 cm
1 cm

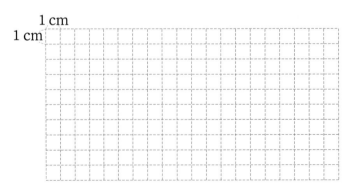

④ 원기둥의 높이를 구해 보세요.

(   )

2 가로 12 cm, 세로 10 cm인 종이에 밑면의 반지름이 1 cm인 원기둥의 전개도를 그리고 오려 붙여 원기둥을 만들려고 합니다. 높이가 최대한 높은 원기둥을 만들려고 할 때 원기둥의 높이를 구해 보세요. (원주율: 3)

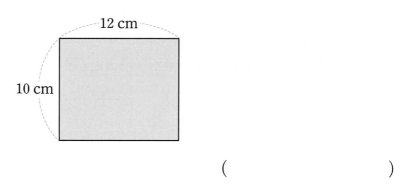

(   )

3 밑면의 반지름이 4 cm인 원기둥의 전개도를 그리고 오려 붙여 원기둥을 만들려고 합니다. 높이가 최대한 높은 원기둥을 만들려고 할 때 어떤 종이에 전개도를 그려야 할지 기호를 써 보세요.

(원주율: 3)

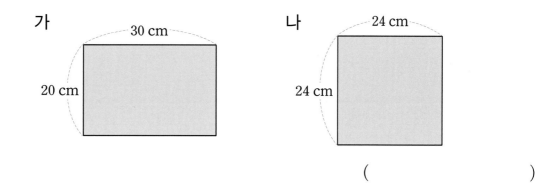

(   )

1 다음 원기둥의 전개도에서 옆면의 둘레는 42 cm이고 세로가 8 cm입니다. 이 전개도의 둘레는 몇 cm인지 구해 보세요.

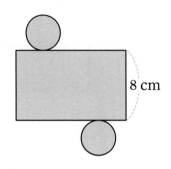

8 cm

① □ 안에 알맞은 말을 써넣으세요.

원기둥의 전개도에서 옆면의 가로는 ⬚⬚⬚⬚⬚⬚ 와/과 같습니다.

② □ 안에 알맞은 수를 써넣으세요.

전개도의 둘레는 옆면의 가로 ☐ 개와 옆면의 세로 ☐ 개를 더한 것과 같습니다.

③ 옆면의 가로는 몇 cm인지 구해 보세요.

(　　　　　　　)

④ 전개도의 둘레는 몇 cm인지 구해 보세요.

(　　　　　　　)

2 다음 원기둥의 전개도에서 옆면의 둘레는 84 cm이고 세로가 12 cm입니다. 이 전개도의 둘레는 몇 cm인지 구해 보세요.

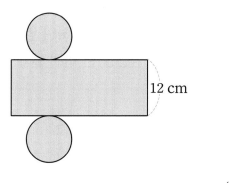

(   )

3 다음 원기둥의 전개도의 둘레는 몇 cm인지 구해 보세요. (원주율: 3)

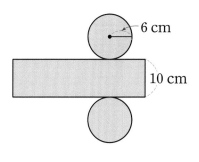

(   )

4 원기둥의 전개도에서 옆면의 넓이가 144 cm²일 때 전개도의 둘레는 몇 cm인지 구해 보세요.

(원주율: 3)

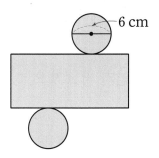

(   )

벌레 문제

1 벌레가 원기둥의 밑면의 한 점 ㄱ에서 출발하여 옆면을 45° 각도를 유지하면서 기어올라가 밑면의 한 점 ㄴ에 도착하면 옆면을 한 바퀴 돌게 됩니다. 원기둥의 높이는 몇 cm인지 구해 보세요. (원주율: 3.1)

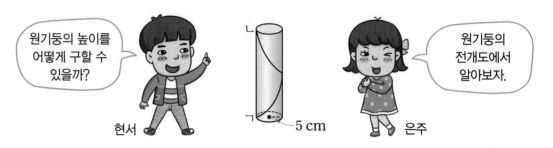

원기둥의 높이를 어떻게 구할 수 있을까?

현서

5 cm

은주

원기둥의 전개도에서 알아보자.

① 원기둥의 전개도에서 벌레가 기어올라간 길을 표시해 보세요.

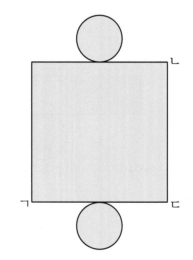

② 각 ㄷㄱㄴ은 몇 도인지 써 보세요.

( )

③ 각 ㄷㄴㄱ은 몇 도인지 써 보세요.

( )

④ 삼각형 ㄱㄴㄷ은 무슨 삼각형인지 써 보세요.

( )

⑤ 원기둥의 높이를 구해 보세요.

( )

2 벌레가 원기둥의 밑면의 한 점 ㄱ에서 출발하여 옆면을 45° 각도를 유지하면서 기어올라가 밑면의 한 점 ㄴ에 도착하면 옆면을 한 바퀴 돌게 됩니다. 원기둥의 높이는 몇 cm인지 구해 보세요.

(원주율: 3.1)

(   )

3 벌레가 원뿔의 밑면의 한 점에서 출발하여 파란색 선을 따라 원뿔의 꼭짓점까지 올라갔다가 다시 밑면의 한 점으로 내려왔습니다. 벌레가 움직인 거리를 구해 보세요.

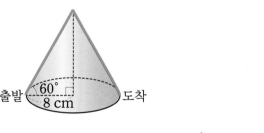

(   )

1 원기둥, 원뿔, 구 중에서 한 입체도형을 위, 앞, 옆에서 본 모양입니다. 이 도형의 이름을 써 보세요.

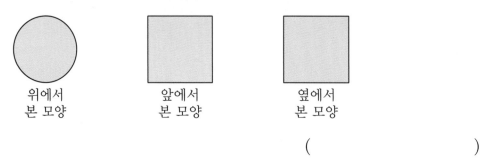

위에서   앞에서   옆에서
본 모양   본 모양   본 모양

(   )

2 한 변을 기준으로 직각삼각형 모양의 종이를 한 바퀴 돌려 얻은 두 입체도형의 밑면의 반지름의 합은 몇 cm인지 구해 보세요.

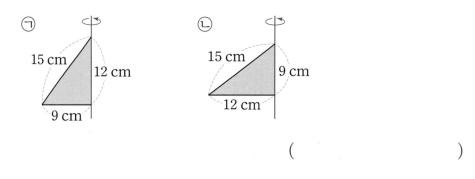

(   )

3 한 변을 기준으로 직각삼각형 모양의 종이를 한 바퀴 돌려 얻은 입체도형을 앞에서 본 모양이 삼각형이었습니다. 앞에서 본 모양의 넓이는 몇 cm^2인지 구해 보세요.

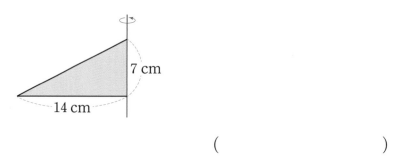

(   )

4 옆에서 본 모양의 넓이를 구해 보세요.

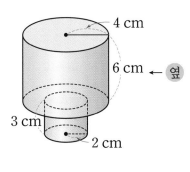

(   )

5 한 변을 기준으로 직사각형 모양의 종이를 한 바퀴 돌려서 입체도형을 만들었습니다. 만든 입체도형을 펼쳤을 때 옆면의 둘레는 몇 cm인지 구해 보세요. (원주율: 3.1)

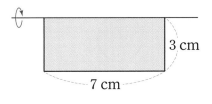

(   )

6 한 변을 기준으로 직사각형 모양의 종이를 돌려 만든 입체도형을 펼쳤을 때 옆면의 넓이를 구해 보세요. (원주율: 3)

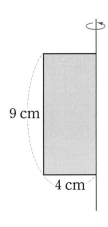

(   )

7 지름을 기준으로 반원 모양의 종이를 돌렸더니 다음과 같이 구가 만들어졌습니다. 돌리기 전 반원의 둘레를 구해 보세요. (원주율: 3.1)

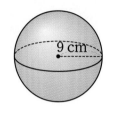

(   )

8 다음 원기둥의 전개도에서 옆면의 둘레는 66 cm이고 세로가 9 cm입니다. 이 전개도의 둘레는 몇 cm인지 구해 보세요.

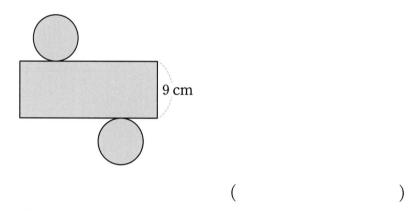

(   )

9 반지름이 9 cm인 구 3개를 이어 붙여 다음과 같은 모양을 만들었습니다. 구 3개의 중심을 이어 그린 삼각형의 둘레는 몇 cm인지 구해 보세요.

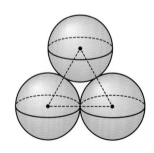

(   )

10 높이가 20 cm인 원기둥을 3바퀴 굴렸더니 원기둥이 지나간 부분의 넓이가 2604 cm²였습니다. 이 원기둥의 밑면의 반지름은 몇 cm인지 구해 보세요. (원주율: 3.1)

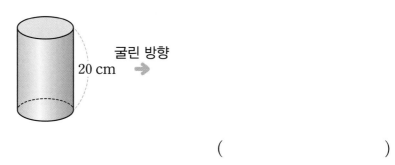

(   )

11 벌레가 원기둥의 옆면을 45° 각도를 유지하면서 밑면에 도착하면 한 바퀴를 돌게 됩니다. 원기둥의 높이는 몇 cm인지 구해 보세요. (원주율: 3.1)

(   )

12 가와 나 두 원기둥의 전개도에서 옆면의 넓이가 같을 때 원기둥 가의 밑면의 반지름을 구해 보세요. (원주율: 3)

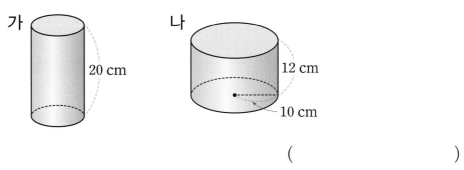

(   )

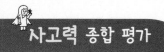

사고력 종합 평가

13 원뿔에서 빨간색 길과 노란색 길의 거리의 차를 구해 보세요. (원주율: 3.1)

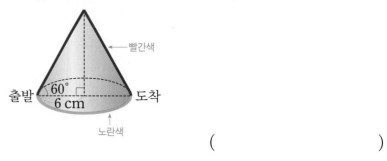

(   )

14 가로 10 cm, 세로 5 cm인 종이에 반지름이 1 cm인 원기둥의 전개도를 그리고 오려 붙여 원기둥을 만들려고 합니다. 높이가 최대한 높은 원기둥을 만들려고 할 때 원기둥의 높이를 구해 보세요. (원주율: 3.1)

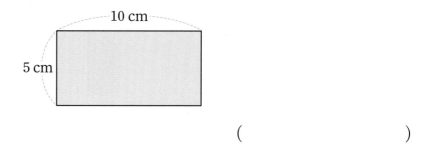

(   )

15 원기둥의 전개도의 둘레가 150 cm일 때 옆면의 넓이는 몇 cm²인지 구해 보세요. (원주율: 3)

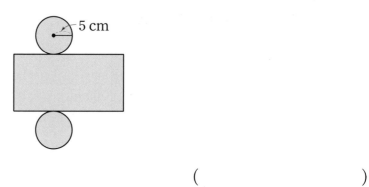

(   )

열심히
풀었으니까,
한 번 맞춰 볼까?

Go! 매쓰 Jump

정답과 풀이

수학 6-2

유형 ① 수직선을 이용하여 계산하기 [추론]

1 다음은 주영이가 가지고 있던 돈 중 학용품을 사는 데 쓴 돈을 수직선에 나타낸 것입니다. 학용품을 사는 데 쓴 돈이 7500원일 때 남은 돈은 얼마인지 구해 보세요.

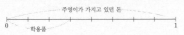

① 학용품을 사는 데 쓴 돈은 주영이가 가지고 있던 돈의 몇 분의 몇인지 분수로 나타내어 보세요.

($\frac{3}{8}$)

❖ 전체를 똑같이 8로 나눈 것 중의 3이므로 $\frac{3}{8}$입니다.

② 주영이가 가지고 있던 돈을 □원이라 할 때 학용품을 사는 데 쓴 돈을 □를 이용한 식으로 나타내어 보세요.

(예) $\square \times \frac{3}{8} = 7500$

❖ (학용품을 사는 데 쓴 돈)=(주영이가 가지고 있던 돈)$\times \frac{3}{8}$
$= \square \times \frac{3}{8} = 7500$

③ 주영이가 가지고 있던 돈은 얼마인지 구해 보세요.

(20000원)

❖ $\square = 7500 \div \frac{3}{8} = \overset{2500}{7500} \times \frac{8}{\underset{1}{3}} = 20000$

④ 남은 돈은 얼마인지 구해 보세요.

(12500원)

❖ $20000 - 7500 = 12500$(원)

2 다음은 혜민이네 반 학생 중 남학생이 차지하는 부분을 수직선에 나타낸 것입니다. 혜민이네 반 남학생이 15명일 때 여학생은 몇 명인지 구해 보세요.

(10명)

❖ 혜민이네 반 남학생은 전체를 똑같이 5로 나눈 것 중의 3이므로 $\frac{3}{5}$입니다.

혜민이네 반 학생 수를 □명이라 하면

(남학생 수)=(혜민이네 반 학생 수)$\times \frac{3}{5} = \square \times \frac{3}{5} = 15$입니다.

➡ $\square = 15 \div \frac{3}{5} = \overset{5}{15} \times \frac{5}{\underset{1}{3}} = 25$

따라서 혜민이네 반 여학생은 $25 - 15 = 10$(명)입니다.

3 다음은 안나가 가지고 있던 사탕 중 동생에게 준 사탕을 수직선에 나타낸 것입니다. 동생에게 사탕을 24개 준 후 안나가 3개를 먹었다면 남은 사탕은 몇 개인지 구해 보세요.

(29개)

❖ 동생에게 준 사탕은 전체를 똑같이 7로 나눈 것 중의 3이므로 $\frac{3}{7}$입니다.

안나가 가지고 있던 사탕 수를 □개라 하면

(동생에게 준 사탕 수)=(안나가 가지고 있던 사탕 수)$\times \frac{3}{7} = \square \times \frac{3}{7} = 24$
입니다.

➡ $\square = 24 \div \frac{3}{7} = \overset{8}{24} \times \frac{7}{\underset{1}{3}} = 56$

따라서 남은 사탕은 $56 - 24 - 3 = 29$(개)입니다.

유형 ② 분수로 만들어 계산하기 [문제 해결]

1 민기와 예지는 각자 가지고 있는 수 카드를 한 번씩만 사용하여 대분수를 만들려고 합니다. 민기가 만든 대분수를 예지가 만든 대분수로 나누었을 때 몫이 가장 큰 경우의 값은 얼마인지 구해 보세요.

❖ 나눗셈식의 몫이 가장 크려면 가장 큰 대분수를 가장 작은 대분수로 나누어야 합니다.

① 알맞은 말에 ○표 하세요.

민기는 가장 ((큰) 작은) 대분수를, 예지는 가장 (큰 (작은)) 대분수를 만들어야 합니다.

❖ 민기: 자연수 부분에 가장 큰 수인 8을 놓고 나머지 3, 4로 진분수를 만들면 $8\frac{3}{4}$입니다.

② 민기와 예지가 만들어야 하는 대분수를 각각 써 보세요.

예지: 자연수 부분에 가장 작은 수인 1을 놓고 나머지 2, 5로 진분수를 만들면 $1\frac{2}{5}$입니다.

③ 몫이 가장 큰 경우의 값은 얼마인지 구해 보세요.

($6\frac{1}{4}$)

❖ $8\frac{3}{4} \div 1\frac{2}{5} = \frac{35}{4} \div \frac{7}{5} = \frac{\overset{5}{35}}{4} \times \frac{5}{\underset{1}{7}} = \frac{25}{4} = 6\frac{1}{4}$

2 강호와 서희는 각자 가지고 있는 수 카드를 한 번씩만 사용하여 대분수를 만들려고 합니다. 강호가 만든 대분수를 서희가 만든 대분수로 나누었을 때 몫이 가장 작은 경우의 값은 얼마인지 구해 보세요.

❖ 나눗셈식의 몫이 가장 작으려면 가장 작은 대분수를 가장 큰 대분수로 나누어야 합니다.

($\frac{5}{16}$)

강호: 자연수 부분에 가장 작은 수인 2를 놓고 나머지 3, 4로 진분수를 만들면 $2\frac{3}{4}$입니다.

서희: 자연수 부분에 가장 큰 수인 8을 놓고 나머지 4, 5로 진분수를 만들면 $8\frac{4}{5}$입니다.

따라서 $2\frac{3}{4} \div 8\frac{4}{5} = \frac{11}{4} \div \frac{44}{5} = \frac{\overset{1}{11}}{4} \times \frac{5}{\underset{4}{44}} = \frac{5}{16}$입니다.

3 마주 보는 두 면의 눈의 수의 합이 7인 정육면체 모양의 주사위 3개를 던졌더니 위에 보이는 면이 다음과 같았습니다. 주사위 3개의 밑에 놓인 면의 눈의 수를 한 번씩만 사용하여 만들 수 있는 대분수 중에서 가장 큰 수를 가장 작은 수로 나눈 몫을 구해 보세요.

($2\frac{11}{12}$)

❖ 밑에 놓인 면의 눈의 수는 왼쪽부터 차례로 1, 4, 5입니다.

가장 큰 대분수: 자연수 부분에 가장 큰 수인 5를 놓고 나머지 1, 4로 진분수를 만들면 $5\frac{1}{4}$입니다.

가장 작은 대분수: 자연수 부분에 가장 작은 수인 1을 놓고 나머지 4, 5로 진분수를 만들면 $1\frac{4}{5}$입니다.

따라서 $5\frac{1}{4} \div 1\frac{4}{5} = \frac{21}{4} \div \frac{9}{5} = \frac{\overset{7}{21}}{4} \times \frac{5}{\underset{3}{9}} = \frac{35}{12} = 2\frac{11}{12}$입니다.

유형 ③ 물을 붓는 횟수와 덜어 내는 횟수 〔창의·융합〕

1 $7\frac{1}{5}$ L들이의 물통에 물이 $\frac{3}{4}$만큼 들어 있습니다. 이 물통에 물을 가득 채우려면 $\frac{3}{7}$ L들이 물병으로 적어도 몇 번 부어야 하는지 구해 보세요.

❶ 더 채워야 하는 물의 양은 물통 들이의 몇 분의 몇인지 분수로 나타내어 보세요.

($\frac{1}{4}$)

✦ 물통에 물이 $\frac{3}{4}$만큼 들어 있으므로 더 채워야 하는 물의 양은 물통 들이의 $1-\frac{3}{4}=\frac{4}{4}-\frac{3}{4}=\frac{1}{4}$입니다.

❷ 더 채워야 하는 물의 양은 몇 L인지 구해 보세요.

($1\frac{4}{5}$ L)

✦ $7\frac{1}{5}\times\frac{1}{4}=\frac{\overset{9}{\cancel{36}}}{5}\times\frac{1}{\cancel{4}}=\frac{9}{5}=1\frac{4}{5}$(L)

❸ $\frac{3}{7}$ L들이 물병으로 적어도 몇 번 부어야 하는지 구해 보세요.

(5번)

✦ $1\frac{4}{5}\div\frac{3}{7}=\frac{9}{5}\div\frac{3}{7}=\frac{\overset{3}{\cancel{9}}}{5}\times\frac{7}{\cancel{3}}=\frac{21}{5}=4\frac{1}{5}$이므로 적어도 $4+1=5$(번) 부어야 합니다.

---

2 $4\frac{2}{7}$ L들이의 물통에 물이 $\frac{2}{3}$만큼 들어 있습니다. 이 물통에 물을 가득 채우려면 $\frac{2}{3}$ L들이 물병으로 적어도 몇 번 부어야 하는지 구해 보세요.

✦ 물통에 물이 $\frac{2}{3}$만큼 들어 있으므로 더 채워야 하는 물의 양은 물통 들이의 $1-\frac{2}{3}=\frac{3}{3}-\frac{2}{3}=\frac{1}{3}$입니다.

(3번)

(더 채워야 하는 물의 양)$=4\frac{2}{7}\times\frac{1}{3}=\frac{\overset{10}{\cancel{30}}}{7}\times\frac{1}{\cancel{3}}=\frac{10}{7}$(L)

따라서 $\frac{10}{7}\div\frac{2}{3}=\frac{\overset{5}{\cancel{10}}}{7}\times\frac{3}{\cancel{2}}=\frac{15}{7}=2\frac{1}{7}$이므로 적어도 $2+1=3$(번) 부어야 합니다.

3 물이 반만큼 채워져 있는 물통에 물을 $5\frac{2}{5}$ L 더 부으면 물이 넘치지 않고 물통에 가득 찬다고 합니다. 이 물통에 가득 차 있는 물을 모두 덜어 내려면 $\frac{3}{4}$ L들이 물병으로 적어도 몇 번 덜어 내야 하는지 구해 보세요.

✦ 물통 들이의 반이 $5\frac{2}{5}$ L이므로 물통의 들이는 $5\frac{2}{5}+5\frac{2}{5}=10\frac{4}{5}$(L)입니다.

(15번)

따라서 $10\frac{4}{5}\div\frac{3}{4}=\frac{54}{5}\div\frac{3}{4}=\frac{\overset{18}{\cancel{54}}}{5}\times\frac{4}{\cancel{3}}=\frac{72}{5}=14\frac{2}{5}$ 이므로 적어도 $14+1=15$(번) 덜어 내야 합니다.

유형 ④ 넓이가 같은 도형의 변의 길이 〔문제 해결〕

1 정사각형 모양의 꽃밭 ㉮와 직사각형 모양의 꽃밭 ㉯의 넓이가 같습니다. 꽃밭 ㉯의 세로는 몇 m인지 구해 보세요.

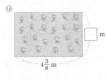

❶ 꽃밭 ㉮의 넓이는 몇 m²인지 구해 보세요.

($12\frac{1}{4}$ m²)

✦ (정사각형의 넓이)=(한 변의 길이)×(한 변의 길이)
$=3\frac{1}{2}\times3\frac{1}{2}=\frac{7}{2}\times\frac{7}{2}=\frac{49}{4}=12\frac{1}{4}$(m²)

❷ 꽃밭 ㉯의 세로를 □ m라 할 때 꽃밭 ㉯의 넓이를 구하는 식을 써 보세요.

예 $4\frac{3}{8}\times□=12\frac{1}{4}$

✦ (직사각형의 넓이)=(가로)×(세로)

❸ 꽃밭 ㉯의 세로는 몇 m인지 구해 보세요.

($2\frac{4}{5}$ m)

✦ (세로)=(직사각형의 넓이)÷(가로)
$=12\frac{1}{4}\div4\frac{3}{8}=\frac{49}{4}\div\frac{35}{8}=\frac{\overset{7}{\cancel{49}}}{\cancel{4}}\times\frac{\overset{2}{\cancel{8}}}{\cancel{35}}=\frac{14}{5}=2\frac{4}{5}$(m)

---

2 직각삼각형 모양의 잔디밭 ㉮와 직사각형 모양의 잔디밭 ㉯의 넓이가 같습니다. 잔디밭 ㉯의 세로는 몇 m인지 구해 보세요.

✦ (잔디밭 ㉮의 넓이)=(밑변의 길이)×(높이)÷2

($2\frac{1}{3}$ m)

$=5\frac{3}{5}\times3\frac{1}{8}\div2=\frac{\overset{7}{\cancel{28}}}{\cancel{5}}\times\frac{\overset{5}{\cancel{25}}}{\cancel{8}}\times\frac{1}{2}=\frac{35}{4}$(m²)

(잔디밭 ㉯의 넓이)=(가로)×(세로)$=3\frac{3}{4}\times□=\frac{35}{4}$이므로

$□=\frac{35}{4}\div3\frac{3}{4}=\frac{35}{4}\div\frac{15}{4}=\frac{\overset{7}{\cancel{35}}}{\cancel{4}}\times\frac{\cancel{4}}{\underset{3}{\cancel{15}}}=\frac{7}{3}=2\frac{1}{3}$입니다.

3 마름모 모양의 땅 ㉮와 평행사변형 모양의 땅 ㉯의 넓이가 같습니다. 땅 ㉯의 높이는 몇 m인지 구해 보세요.

($2\frac{6}{7}$ m)

✦ (땅 ㉮의 넓이)=(한 대각선의 길이)×(다른 대각선의 길이)÷2
$=5\frac{1}{7}\times3\frac{5}{9}\div2=\frac{\overset{4}{\cancel{36}}}{7}\times\frac{\overset{16}{\cancel{32}}}{\cancel{9}}\times\frac{1}{\cancel{2}}=\frac{64}{7}$(m²)

(땅 ㉯의 넓이)=(밑변의 길이)×(높이)$=3\frac{1}{5}\times□=\frac{64}{7}$이므로

$□=\frac{64}{7}\div3\frac{1}{5}=\frac{64}{7}\div\frac{16}{5}=\frac{\overset{4}{\cancel{64}}}{7}\times\frac{5}{\underset{1}{\cancel{16}}}=\frac{20}{7}=2\frac{6}{7}$입니다.

유형 5 칠할 수 있는 벽의 넓이 　창의·융합

정답과 풀이 4쪽

1 민우는 어제 페인트 $4\frac{1}{5}$ L로 한 변의 길이가 3 m인 정사각형 모양의 벽을 칠하였습니다. 민우가 오늘 페인트 9 L로 칠할 수 있는 벽의 넓이는 몇 m²인지 구해 보세요.

① 정사각형 모양의 벽의 넓이는 몇 m²인지 구해 보세요.

(**9 m²**)

❖ $3 \times 3 = 9\,(\text{m}^2)$

② 페인트 1 L로 칠할 수 있는 벽의 넓이는 몇 m²인지 구해 보세요.

(**$2\frac{1}{7}$ m²**)

❖ $9 \div 4\frac{1}{5} = 9 \div \frac{21}{5} = \overset{3}{9} \times \frac{5}{\underset{7}{21}} = \frac{15}{7} = 2\frac{1}{7}\,(\text{m}^2)$

③ 페인트 9 L로 칠할 수 있는 벽의 넓이는 몇 m²인지 구해 보세요.

(**$19\frac{2}{7}$ m²**)

❖ $2\frac{1}{7} \times 9 = \frac{15}{7} \times 9 = \frac{135}{7} = 19\frac{2}{7}\,(\text{m}^2)$

14 · Jump 6-2

2 한 변의 길이가 5 m인 정사각형 모양의 벽을 칠하는 데 페인트 $4\frac{2}{7}$ L가 필요합니다. 페인트 8 L로 칠할 수 있는 벽의 넓이는 몇 m²인지 구해 보세요.

(**$46\frac{2}{3}$ m²**)

❖ (정사각형 모양의 벽의 넓이)$=5 \times 5 = 25\,(\text{m}^2)$
(페인트 1 L로 칠할 수 있는 벽의 넓이)

$$= 25 \div 4\frac{2}{7} = 25 \div \frac{30}{7} = \overset{5}{25} \times \frac{7}{\underset{6}{30}} = \frac{35}{6}\,(\text{m}^2)$$

(페인트 8 L로 칠할 수 있는 벽의 넓이)$=\frac{35}{\underset{3}{6}} \times \overset{4}{8} = \frac{140}{3} = 46\frac{2}{3}\,(\text{m}^2)$

3 가로가 6 m, 세로가 $1\frac{3}{4}$ m인 직사각형 모양의 벽을 칠하는 데 페인트 $3\frac{1}{9}$ L가 필요합니다. 페인트 6 L로 칠할 수 있는 벽의 넓이는 몇 m²인지 구해 보세요.

(**$20\frac{1}{4}$ m²**)

❖ (직사각형 모양의 벽의 넓이)$=6 \times 1\frac{3}{4} = \overset{3}{6} \times \frac{7}{\underset{2}{4}} = \frac{21}{2}\,(\text{m}^2)$
(페인트 1 L로 칠할 수 있는 벽의 넓이)

$$= \frac{21}{2} \div 3\frac{1}{9} = \frac{21}{2} \div \frac{28}{9} = \frac{\overset{3}{21}}{2} \times \frac{9}{\underset{4}{28}} = \frac{27}{8}\,(\text{m}^2)$$

(페인트 6 L로 칠할 수 있는 벽의 넓이)$=\frac{27}{\underset{4}{8}} \times \overset{3}{6} = \frac{81}{4} = 20\frac{1}{4}\,(\text{m}^2)$

4 가로가 $4\frac{5}{6}$ m, 세로가 $5\frac{5}{6}$ m인 직사각형 모양의 벽을 칠하는 데 민준이와 연서가 페인트를 각각 $2\frac{1}{4}$ L, $1\frac{1}{12}$ L를 모두 사용하였습니다. 페인트 1 L로 몇 m²의 벽을 칠한 셈인지 구해 보세요.

(**$8\frac{1}{4}$ m²**)

❖ (직사각형 모양의 벽의 넓이)$=4\frac{5}{7} \times 5\frac{5}{6} = \frac{\overset{11}{33}}{\underset{1}{7}} \times \frac{\overset{5}{35}}{\underset{2}{6}} = \frac{55}{2}\,(\text{m}^2)$

(사용한 페인트의 양)$=2\frac{1}{4} + 1\frac{1}{12} = 2\frac{3}{12} + 1\frac{1}{12} = 3\frac{\overset{1}{4}}{\underset{3}{12}} = 3\frac{1}{3}\,(\text{L})$

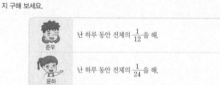

$$\frac{55}{2} \div 3\frac{1}{3} = \frac{55}{2} \div \frac{10}{3} = \frac{\overset{11}{55}}{2} \times \frac{3}{\underset{2}{10}} = \frac{33}{4} = 8\frac{1}{4}\,(\text{m}^2)$$

1. 분수의 나눗셈 · 15

유형 6 일의 양 구하기 　문제 해결

정답과 풀이 4쪽

1 어떤 일을 하는 데 현서와 은주가 일하는 양은 다음과 같습니다. 같은 빠르기로 현서가 9일 동안 먼저 일한 다음 두 사람이 함께 남은 일을 끝내려고 합니다. 두 사람이 함께 일하는 날은 며칠인지 구해 보세요.

 현서 　난 하루 동안 전체의 $\frac{1}{15}$을 해.

 은주 　난 하루 동안 전체의 $\frac{1}{30}$을 해.

① 두 사람이 함께 일을 했을 때 하루 동안 일하는 양을 구해 보세요.

(**$\frac{1}{10}$**)

❖ $\frac{1}{15} + \frac{1}{30} = \frac{2}{30} + \frac{1}{30} = \frac{\overset{1}{3}}{\underset{10}{30}} = \frac{1}{10}$

② 현서가 9일 동안 일하는 양을 구해 보세요.

(**$\frac{3}{5}$**)

❖ $\frac{1}{\underset{5}{15}} \times \overset{3}{9} = \frac{3}{5}$

③ 현서가 9일 동안 먼저 일한 다음 남은 일의 양을 구해 보세요.

(**$\frac{2}{5}$**)

❖ $1 - \frac{3}{5} = \frac{5}{5} - \frac{3}{5} = \frac{2}{5}$

④ 두 사람이 함께 일하는 날은 며칠인지 구해 보세요.

(**4일**)

16 · Jump 6-2 　❖ $\frac{2}{5} \div \frac{1}{10} = \frac{2}{\underset{1}{5}} \times \overset{2}{10} = 4(\text{일})$

2 어떤 일을 하는 데 준우와 윤하가 일하는 양은 다음과 같습니다. 같은 빠르기로 준우가 3일 동안 먼저 일한 다음 두 사람이 함께 남은 일을 끝내려고 합니다. 두 사람이 함께 일하는 날은 며칠인지 구해 보세요.

준우 　난 하루 동안 전체의 $\frac{1}{12}$을 해.

윤하 　난 하루 동안 전체의 $\frac{1}{24}$을 해.

❖ (두 사람이 함께 일을 했을 때 하루 동안 일하는 양)

(**6일**)

$$= \frac{1}{12} + \frac{1}{24} = \frac{2}{24} + \frac{1}{24} = \frac{\overset{1}{3}}{\underset{8}{24}} = \frac{1}{8}$$

(준우가 3일 동안 일하는 양)$=\frac{1}{\underset{4}{12}} \times \overset{1}{3} = \frac{1}{4}$, (남은 일의 양)$=1 - \frac{1}{4} = \frac{4}{4} - \frac{1}{4} = \frac{3}{4}$

따라서 두 사람이 함께 일하는 날은 $\frac{3}{4} \div \frac{1}{8} = \frac{3}{\underset{1}{4}} \times \overset{2}{8} = 6(\text{일})$입니다.

3 어떤 일을 하는 데 미라와 진호가 일한 날과 일한 양은 다음과 같습니다. 같은 빠르기로 진호가 2일 동안 먼저 일한 다음 두 사람이 함께 남은 일을 끝내려고 합니다. 두 사람이 함께 일하는 날은 며칠인지 구해 보세요.

이름	미라	진호
일한 날	2일	5일
일한 양	$\frac{1}{3}$	$\frac{1}{2}$

❖ (미라가 하루 동안 일하는 양)$=\frac{1}{3} \div 2 = \frac{1}{3} \times \frac{1}{2} = \frac{1}{6}$ 　(**3일**)

(진호가 하루 동안 일하는 양)$=\frac{1}{2} \div 5 = \frac{1}{2} \times \frac{1}{5} = \frac{1}{10}$

(두 사람이 함께 일을 했을 때 하루 동안 일하는 양)

$$= \frac{1}{6} + \frac{1}{10} = \frac{5}{30} + \frac{3}{30} = \frac{\overset{4}{8}}{\underset{15}{30}} = \frac{4}{15}$$

1. 분수의 나눗셈 · 17

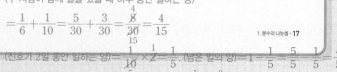

(진호가 2일 동안 일하는 양)$=\frac{1}{\underset{5}{10}} \times \overset{1}{2} = \frac{1}{5}$, (남은 일의 양)$=1 - \frac{1}{5} = \frac{5}{5} - \frac{1}{5} = \frac{4}{5}$

따라서 두 사람이 함께 일하는 날은 $\frac{4}{5} \div \frac{4}{15} = \frac{\overset{1}{4}}{\underset{1}{5}} \times \frac{\overset{3}{15}}{\underset{1}{4}} = 3(\text{일})$입니다.

$$❖ (150-100) \div 1\frac{1}{9} = 50 \div 1\frac{1}{9} = 50 \div \frac{10}{9}$$
$$= 50 \times \frac{9}{10} = 45 \text{(kg)}$$

정답과 풀이 5쪽

사고력 종합 평가

1 가⊙나를 다음과 같이 약속하였습니다. 3⊙7을 계산해 보세요.

$$가 ⊙ 나 = (가 \div 나) \div (나 \div 가)$$

($\frac{9}{49}$)

$$❖ 3⊙7 = (3 \div 7) \div (7 \div 3) = \frac{3}{7} \div \frac{7}{3} = \frac{3}{7} \times \frac{3}{7} = \frac{9}{49}$$

2 □ 안에 들어갈 수 있는 자연수 중에서 가장 작은 수를 구해 보세요.

(**6**)

$$❖ 12 \div \frac{3}{□} = 12 \times \frac{□}{3} = 4 \times □ 이므로$$

$$12 \div \frac{3}{□} > 20 은 4 \times □ > 20 과 같습니다. 따라서 □는 5보다$$

커야 하므로 □ 안에 들어갈 수 있는 가장 작은 수는 6입니다.

3 넓이가 $2\frac{3}{4}$ m²인 사다리꼴이 있습니다. 이 사다리꼴의 높이는 몇 m인지 구해 보세요.

($1\frac{3}{4}$ m)

$$❖ (사다리꼴의 넓이) = \left(1\frac{1}{7} + 2\right) \times □ \div 2 = 2\frac{3}{4}$$

$$3\frac{1}{7} \times □ \div 2 = 2\frac{3}{4}, \ 3\frac{1}{7} \times □ = 2\frac{3}{4} \times 2 = \frac{11}{4} \times \overset{1}{\underset{2}{2}} = \frac{11}{2},$$

$$□ = \frac{11}{2} \div 3\frac{1}{7} = \frac{11}{2} \div \frac{22}{7} = \frac{\overset{1}{11}}{2} \times \frac{7}{\underset{2}{22}} = \frac{7}{4} = 1\frac{3}{4}$$

4 초등학교 여학생의 표준 체중은 다음과 같은 방법으로 구할 수 있다고 합니다. 키가 150 cm인 초등학교 여학생의 표준 체중은 몇 kg인지 구해 보세요.

(**45 kg**)

❖ 주민이네 학교 여학생은 전체를 똑같이 8로 나눈

것 중의 5이므로 $\frac{5}{8}$입니다. 주민이네 학교 학생 수를 □명이라 하면

$$(여학생 수) = (주민이네 학교 학생 수) \times \frac{5}{8} = □ \times \frac{5}{8} = 225입니다.$$

5 다음은 주민이네 학교 학생 중 여학생이 차지하는 부분을 수직선에 나타낸 것입니다. 주민이네 학교 여학생이 225명일 때 남학생은 몇 명인지 구해 보세요.

(**135명**)

$$→ □ = 225 \div \frac{5}{8} = \overset{45}{225} \times \frac{8}{\underset{1}{5}} = 360$$

따라서 주민이네 학교 남학생은 360 - 225 = 135(명)입니다.

6 준우와 윤하가 각자 가지고 있는 수 카드를 한 번씩만 사용하여 대분수를 만들려고 합니다. 준우가 만든 대분수를 윤하가 만든 대분수로 나누었을 때 몫이 가장 작은 경우의 값은 얼마인지 구해 보세요.

($\frac{5}{9}$)

❖ 나눗셈식의 몫이 가장 작으려면 가장 작은 대분수를 가장 큰 대분수로 나누어야 합니다.

준우: $3\frac{5}{9}$, 윤하: $6\frac{2}{5}$

$$따라서 \ 3\frac{5}{9} \div 6\frac{2}{5} = \frac{32}{9} \div \frac{32}{5} = \frac{\overset{1}{32}}{9} \times \frac{5}{\underset{1}{32}} = \frac{5}{9}입니다.$$

정답과 풀이 5쪽

사고력 종합 평가

7 어느 공장에서 책상 한 개를 만드는 데 $1\frac{2}{5}$시간이 걸린다고 합니다. 이 공장에서 같은 빠르기로 매일 $4\frac{2}{5}$시간씩 일주일 동안 책상을 만든다면 몇 개까지 만들 수 있는지 구해 보세요.

(**22개**)

$$❖ (일주일 동안 책상을 만드는 시간) = 4\frac{2}{5} \times 7 = \frac{22}{5} \times 7 = \frac{154}{5}(시간)$$

$$(일주일 동안 만드는 책상의 수) = \frac{154}{5} \div 1\frac{2}{5} = \frac{154}{5} \div \frac{7}{5} = \frac{\overset{22}{154}}{\underset{1}{5}} \times \frac{\overset{1}{5}}{\underset{1}{7}}$$
$$= 22(개)$$

8 어떤 수를 $\frac{3}{4}$으로 나누어야 할 것을 잘못하여 $\frac{3}{4}$을 곱했더니 $3\frac{3}{8}$이 되었습니다. 바르게 계산한 값을 구해 보세요.

❖ 어떤 수를 □라 하면 $□ \times \frac{3}{4} = 3\frac{3}{8}$,

(**6**)

$$□ = 3\frac{3}{8} \div \frac{3}{4} = \frac{27}{8} \div \frac{3}{4} = \frac{\overset{9}{27}}{\underset{2}{8}} \times \frac{\overset{1}{4}}{\underset{1}{3}} = \frac{9}{2}입니다. 따라서 바르게 계산하면$$

$$\frac{9}{2} \div \frac{3}{4} = \frac{\overset{3}{9}}{\underset{1}{2}} \times \frac{\overset{2}{4}}{\underset{1}{3}} = 6입니다.$$

9 $10\frac{2}{5}$ L들이의 물통에 물이 $\frac{1}{6}$만큼 들어 있습니다. 이 물통에 물을 가득 채우려면 $\frac{8}{9}$ L들이 물병으로 적어도 몇 번 부어야 하는지 구해 보세요.

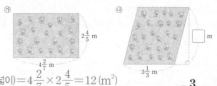

$10\frac{2}{5}$ L $\frac{8}{9}$ L

❖ 물통에 물이 $\frac{1}{6}$만큼 들어 있으므로 더 채워야 하는 (**10번**)

물의 양은 물통 들이의 $1 - \frac{1}{6} = \frac{6}{6} - \frac{1}{6} = \frac{5}{6}$입니다.

$$(더 채워야 하는 물의 양) = 10\frac{2}{5} \times \frac{5}{6} = \frac{\overset{26}{52}}{\underset{1}{5}} \times \frac{\overset{1}{5}}{\underset{3}{6}} = \frac{26}{3}(L)$$

10 수 카드 4장 중에서 2장을 골라 한 번씩 사용하여 진분수를 만들려고 합니다. 만들 수 있는 가장 큰 진분수를 가장 작은 진분수로 나눈 몫을 구해 보세요.

2 4 5 7

($2\frac{4}{5}$)

❖ 만들 수 있는 진분수는 $\frac{2}{4}, \frac{2}{5}, \frac{4}{5}, \frac{2}{7}, \frac{4}{7}, \frac{5}{7}$입니다.

이 중에서 가장 큰 진분수는 $\frac{4}{5}$이고, 가장 작은 진분수는 $\frac{2}{7}$입니다.

따라서 $\frac{4}{5} \div \frac{2}{7} = \frac{\overset{2}{4}}{5} \times \frac{7}{\underset{1}{2}} = \frac{14}{5} = 2\frac{4}{5}$입니다.

11 직사각형 모양의 꽃밭 ㉮와 평행사변형 모양의 꽃밭 ㉯의 넓이가 같습니다. 꽃밭 ㉯의 높이는 몇 m인지 구해 보세요.

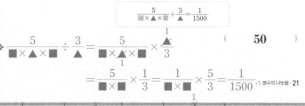

㉮   ㉯

$4\frac{2}{7}$ m $2\frac{4}{5}$ m $3\frac{1}{3}$ m   □ m

$$❖ (꽃밭 ㉮의 넓이) = 4\frac{2}{7} \times 2\frac{4}{5} = 12 \text{(m}^2)$$

($3\frac{3}{5}$ m)

$$(꽃밭 ㉯의 넓이) = 3\frac{1}{3} \times □ = 12이므로$$

$$□ = 12 \div 3\frac{1}{3} = 12 \div \frac{10}{3} = \overset{6}{12} \times \frac{3}{\underset{5}{10}} = \frac{18}{5} = 3\frac{3}{5}입니다.$$

12 같은 모양은 같은 수를 나타낼 때 ■에 알맞은 수를 구해 보세요.

$$\frac{5}{■ \times ▲ \times ■} \div \frac{3}{▲} = \frac{1}{1500}$$

(**50**)

$$❖ \frac{5}{■ \times ▲ \times ■} \div \frac{3}{▲} = \frac{5}{■ \times ▲ \times ■} \times \frac{▲}{3}$$

$$= \frac{5}{■ \times ■} \times \frac{1}{3} = \frac{1}{■ \times ■} \times \frac{5}{3} = \frac{1}{1500}$$

$$\frac{1}{■ \times ■} = \frac{\overset{1}{5}}{1500} \div 3 = \frac{1}{\underset{500}{1500}} \times \frac{1}{3} = \frac{1}{■ \times ■} \times \frac{5}{3} = \frac{1}{2500}이므로 \ ■ \times ■ = 2500입니다.$$

따라서 $50 \times 50 = 2500$이므로 ■ = 50입니다.

따라서 $\frac{26}{3} \div \frac{8}{9} = \frac{\overset{13}{26}}{\underset{1}{3}} \times \frac{\overset{3}{9}}{\underset{1}{8}} = \frac{39}{4} = 9\frac{3}{4}$이므로 적어도 $9 + 1 = 10$(번) 부어야 합니다.

사고력 종합 평가

정답과 풀이 6쪽

13 한 변의 길이가 6 m인 정사각형 모양의 벽을 칠하는 데 페인트 $6\frac{2}{5}$ L가 필요합니다. 페인트 12 L로 칠할 수 있는 벽의 넓이는 몇 m²인지 구해 보세요.

❖ (정사각형 모양의 벽의 넓이)$=6\times6=36\,(\text{m}^2)$ ($\mathbf{67\frac{1}{2}\,m^2}$)

(페인트 1 L로 칠할 수 있는 벽의 넓이)$=36\div6\frac{2}{5}=36\div\frac{32}{5}=\overset{9}{\cancel{36}}\times\frac{5}{\underset{8}{\cancel{32}}}=\frac{45}{8}\,(\text{m}^2)$

(페인트 12 L로 칠할 수 있는 벽의 넓이)$=\frac{45}{\cancel{8}}\times\overset{3}{\cancel{12}}=\frac{135}{2}=67\frac{1}{2}\,(\text{m}^2)$

14 어떤 일을 하는 데 안나와 근우가 일한 날과 일한 양은 다음과 같습니다. 같은 빠르기로 근우가 3일 동안 먼저 일한 다음 두 사람이 함께 남은 일을 끝내려고 합니다. 두 사람이 함께 일하는 날은 며칠인지 구해 보세요.

이름	안나	근우
일한 날	4일	2일
일한 양	$\frac{1}{3}$	$\frac{1}{4}$

(**3일**)

❖ (안나가 하루 동안 일하는 양)$=\frac{1}{3}\div4=\frac{1}{3}\times\frac{1}{4}=\frac{1}{12}$

(근우가 하루 동안 일하는 양)$=\frac{1}{4}\div2=\frac{1}{4}\times\frac{1}{2}=\frac{1}{8}$

(두 사람이 함께 일을 했을 때 하루 동안 일하는 양)

$=\frac{1}{12}+\frac{1}{8}=\frac{2}{24}+\frac{3}{24}=\frac{5}{24}$

(근우가 3일 동안 일하는 양)$=\frac{1}{8}\times3=\frac{3}{8}$,

(남은 일의 양)$=1-\frac{3}{8}=\frac{8}{8}-\frac{3}{8}=\frac{5}{8}$

따라서 두 사람이 함께 일하는 날은 $\frac{5}{8}\div\frac{5}{24}=\frac{\cancel{5}}{\cancel{8}}\times\frac{\overset{3}{\cancel{24}}}{\cancel{5}}=3(일)$입니다.

15 다음과 같이 규칙적으로 분수를 늘어놓고 있습니다. (7번째 분수)÷(9번째 분수)의 몫을 구해 보세요.

$$1\frac{1}{2},\ 2\frac{2}{3},\ 3\frac{3}{4},\ 4\frac{4}{5}\cdots\cdots$$

($\frac{35}{44}$)

❖ □번째에 올 분수는 $\square\dfrac{\square}{(\square+1)}$의 형태이므로 7번째 분수는 $7\frac{7}{8}$이고, 9번째 분수는 $9\frac{9}{10}$입니다.

따라서 $7\frac{7}{8}\div9\frac{9}{10}=\frac{63}{8}\div\frac{99}{10}=\frac{\overset{}{\cancel{63}}}{8}\times\frac{\overset{5}{\cancel{10}}}{\cancel{99}}=\frac{35}{44}$입니다.

[GO! 매쓰]
여기까지 1단원 내용입니다.
다음부터는 2단원 내용이
시작합니다.

유형 **①** 화살표가 도착한 곳 찾기 (추론)

정답과 풀이 6쪽

1 흰색 화살표가 나눗셈의 몫만큼 시계 방향으로 칸을 옮깁니다. 시작에서부터 움직여서 세 번째로 도착한 칸을 화살표로 표시해 보세요.

① 시작 칸에 있는 나눗셈의 몫을 구해 보세요.

(**2**)

❖ $4.8\div2.4=\frac{48}{10}\div\frac{24}{10}=48\div24=2$

② **①**에서 구한 몫만큼 시계 방향으로 칸을 옮겨서 나눗셈의 몫을 구해 보세요.

(**3**)

❖ 시계 방향으로 2칸 옮기면 $3.6\div1.2$가 써 있는 칸에 도착합니다.

$3.6\div1.2=\frac{36}{10}\div\frac{12}{10}=36\div12=3$

③ **②**에서 구한 몫만큼 시계 방향으로 칸을 옮겨서 나눗셈의 몫을 구해 보세요.

(**5**)

❖ 시계 방향으로 3칸 옮기면 $6.5\div1.3$이 써 있는 칸에 도착합니다.

$6.5\div1.3=\frac{65}{10}\div\frac{13}{10}=65\div13=5$

④ **③**에서 구한 몫만큼 시계 방향으로 칸을 옮겨서 화살표로 표시해 보세요.

❖ 시계 방향으로 5칸 옮기면 $3.6\div1.2$가 써 있는 칸에 도착합니다.

2 흰색 화살표가 나눗셈의 몫만큼 시계 방향으로 칸을 옮깁니다. 시작에서부터 움직여서 두 번째로 도착한 칸을 화살표로 표시해 보세요.

❖ $5.1\div1.7=3$이므로 시계 방향으로 3칸 옮기면 $9.6\div1.6$이 써 있는 칸에 도착합니다.

$9.6\div1.6=6$이므로 시계 방향으로 6칸 옮기면 $2.7\div0.9$가 써 있는 칸에 도착합니다.

3 흰색 화살표가 나눗셈의 몫만큼 시계 방향으로 칸을 옮깁니다. 시작에서부터 움직여서 세 번째로 도착한 칸을 화살표로 표시해 보세요.

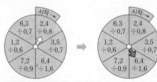

❖ $2.4\div0.8=3$이므로 시계 방향으로 3칸 옮기면 $7.2\div0.9$가 써 있는 칸에 도착합니다.

$7.2\div0.9=8$이므로 시계 방향으로 8칸 옮기면 $6.3\div0.7$이 써 있는 칸에 도착합니다.

$6.3\div0.7=9$이므로 시계 방향으로 9칸 옮기면 $6.4\div1.6$이 써 있는 칸에 도착합니다.

4 흰색 화살표가 나눗셈의 몫만큼 시계 반대 방향으로 칸을 옮깁니다. 시작에서부터 움직여서 두 번째로 도착한 칸을 화살표로 표시해 보세요.

❖ $2.73\div0.91=3$이므로 시계 반대 방향으로 3칸 옮기면 $1.62\div0.81$이 써 있는 칸에 도착합니다.

$1.62\div0.81=2$이므로 시계 반대 방향으로 2칸 옮기면 $1.84\div0.92$가 써 있는 칸에 도착합니다.

2 단원

유형 ② 수 카드로 나눗셈식 완성하기 · 추론

1 수 카드를 한 번씩만 사용하여 몫이 가장 큰 (소수 한 자리 수)÷(소수 한 자리 수)를 만들었을 때, 그 몫을 구해 보세요.

| 1 | 8 | 2 | 4 |

❶ 수 카드에 있는 수의 크기를 비교해 보세요.

$$8 > 4 > 2 > 1$$

❷ 알맞은 말에 ○표 하세요.

몫이 가장 큰 나눗셈식은 나누어지는 수는 가장 (ⓛ큰 / 작은) 소수 한 자리 수이어야 하고 나누는 수는 가장 (큰 / ⓛ작은) 소수 한 자리 수이어야 합니다.

❸ 나눗셈식을 완성해 보세요.

$$8.4 \div 1.2$$

❖ 만들 수 있는 가장 큰 소수 한 자리 수는 8.4이고 가장 작은 소수 한 자리 수는 1.2입니다.

❹ ❸에서 만든 나눗셈식의 몫을 구해 보세요.

(**7**)

❖ $8.4 \div 1.2 = 7$

2 수 카드 3, 5, 1, 6을 한 번씩만 사용하여 몫이 가장 큰 (소수 한 자리 수)÷(소수 한 자리 수)를 만들었을 때, 그 몫을 구해 보세요.

(**5**)

❖ $6 > 5 > 3 > 1$이므로 가장 큰 소수 한 자리 수는 6.5이고, 가장 작은 소수 한 자리 수는 1.3입니다.

➡ $6.5 \div 1.3 = 5$

3 수 카드 6, 9, 5를 한 번씩만 사용하여 몫이 가장 크게 되도록 나눗셈식을 완성하고 몫을 구해 보세요.

$$0.\boxed{5} \,)\, \boxed{9}\,\boxed{6}$$

(**192**)

❖ 몫이 가장 크게 되려면 나누어지는 수가 가장 크고 나누는 수가 가장 작아야 합니다.

$9 > 6 > 5$이므로 가장 큰 두 자리 수는 96이고, 가장 작은 소수 한 자리 수는 0.5입니다.

➡ $96 \div 0.5 = 192$

4 수 카드 1, 9, 2, 6을 한 번씩만 사용하여 몫이 가장 작게 되도록 나눗셈식을 완성하고 몫을 구해 보세요.

$$0.\boxed{9} \,)\, \boxed{1}\,\boxed{2}\,\boxed{6}$$

(**1.4**)

❖ 몫이 가장 작게 되려면 나누어지는 수가 가장 작고 나누는 수가 가장 커야 합니다.

$1 < 2 < 6 < 9$이므로 가장 작은 소수 두 자리 수는 1.26이고, 가장 큰 소수 한 자리 수는 0.9입니다.

➡ $1.26 \div 0.9 = 1.4$

단원 2

유형 ③ 추의 개수 구하기 · 문제 해결

1 축구공 1개의 무게를 재었더니 0.42 kg이었습니다. 저울의 한쪽에 축구공을 2개 올려놓았을 때 저울의 수평을 맞추기 위해서는 0.28 kg인 추를 몇 개 올려놓아야 하는지 구해 보세요.

❶ 축구공 2개의 무게를 구해 보세요.

(**0.84 kg**)

❖ $0.42 \times 2 = 0.84 \,(\text{kg})$

❷ ❶에서 구한 무게는 0.28 kg인 추의 몇 배인지 구해 보세요.

(**3배**)

❖ $0.84 \div 0.28 = \dfrac{84}{100} \div \dfrac{28}{100} = 84 \div 28 = 3(\text{배})$

❸ 0.28 kg인 추를 몇 개 올려야 하는지 써 보세요.

(**3개**)

❖ $0.84 \div 0.28 = 3$이므로 0.28 kg인 추를 3개 올려놓으면 저울의 수평을 맞출 수 있습니다.

2 주스병 1개의 무게를 재었더니 0.52 kg이었습니다. 저울의 한쪽에 주스병을 3개 올려놓았을 때 저울의 수평을 맞추기 위해서는 0.39 kg인 추를 몇 개 올려놓아야 하는지 구해 보세요.

(**4개**)

❖ (주스병 3개의 무게)$= 0.52 \times 3 = 1.56 \,(\text{kg})$

(추의 개수)$= 1.56 \div 0.39 = \dfrac{156}{100} \div \dfrac{39}{100} = 156 \div 36 = 4(\text{개})$

3 아령 1개의 무게는 2.75 kg입니다. 저울의 왼쪽에 아령을 5개 올려놓았을 때 저울이 오른쪽으로 기울기 위해서는 0.5 kg인 추를 적어도 몇 개 올려놓아야 하는지 구해 보세요.

(**28개**)

❖ (아령 5개의 무게)$= 2.75 \times 5 = 13.75 \,(\text{kg})$

$13.75 \div 0.5 = 1375 \div 50 = 27.5$이므로 추는 적어도 28개 필요합니다.

4 저울의 한쪽에 0.21 kg인 추 8개와 0.07 kg인 추 1개를 올려놓았습니다. 저울의 수평을 맞추기 위해서는 0.25 kg인 추를 몇 개 올려놓아야 하는지 구해 보세요.

(**7개**)

❖ (저울 한쪽의 무게)$= 0.21 \times 8 + 0.07$
$= 1.68 + 0.07 = 1.75 \,(\text{kg})$

(추의 개수)$= 1.75 \div 0.25 = \dfrac{175}{100} \div \dfrac{25}{100} = 175 \div 25 = 7(\text{개})$

단원 2

정답과 풀이 8쪽

유형 ④ 선분의 길이 구하기 〔문제 해결〕

1 삼각형 ㄱㄴㄷ의 넓이는 삼각형 ㄹㅁㄷ의 넓이의 1.4배입니다. 삼각형 ㄱㄴㄷ의 넓이가 17.29 cm²일 때 선분 ㄴㅁ의 길이는 몇 cm인지 구해 보세요. (단, 선분 ㄱㄴ과 선분 ㄹㄷ은 길이가 같습니다.)

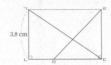

❶ 선분 ㄴㄷ의 길이는 몇 cm인지 구해 보세요.

(**9.1 cm**)

✤ (선분 ㄴㄷ)=17.29×2÷3.8=9.1 (cm)

❷ 삼각형 ㄹㅁㄷ의 넓이는 몇 cm²인지 구해 보세요.

(**12.35 cm²**)

✤ 17.29÷1.4=12.35 (cm²)

❸ 선분 ㅁㄷ의 길이는 몇 cm인지 구해 보세요.

(**6.5 cm**)

✤ (선분 ㅁㄷ)=12.35×2÷3.8=6.5 (cm)

❹ 선분 ㄴㅁ의 길이는 몇 cm인지 구해 보세요.

(**2.6 cm**)

✤ (선분 ㄴㅁ)=(선분 ㄴㄷ)-(선분 ㅁㄷ)
  =9.1-6.5=2.6 (cm)

2 삼각형에서 ㉠의 길이는 몇 cm인지 구해 보세요.

(**1.68 cm**)

✤ (삼각형의 넓이)=2.1×2.8÷2=2.94 (cm²)
  밑변의 길이를 3.5 cm라 하면 높이는 ㉠이므로
  3.5×㉠÷2=2.94 (cm²)입니다.
  ➡ 3.5×㉠=5.88. ㉠=5.88÷3.5=1.68 (cm)

3 마름모 ㄱㄴㄷㄹ의 넓이는 삼각형 ㄱㄷㅁ의 넓이의 0.6배입니다. 마름모 ㄱㄴㄷㄹ의 넓이가 21 cm²일 때 선분 ㄱㅁ의 길이는 몇 cm인지 구해 보세요.

(**12.5 cm**)

✤ 마름모의 다른 대각선의 길이를 □ cm라 하면
  7.5×□÷2=21이므로 □=21×2÷7.5=5.6입니다.
  (삼각형 ㄱㄷㅁ의 넓이)=21÷0.6=35 (cm²)
  따라서 선분 ㄱㅁ의 길이는 35×2÷5.6=12.5 (cm)입니다.

4 삼각형 ㄱㄴㄷ의 넓이는 삼각형 ㄹㄴㅁ의 넓이의 1.2배입니다. 삼각형 ㄱㄴㄷ의 넓이가 76.44 cm²일 때 선분 ㅁㄷ의 길이는 몇 cm인지 구해 보세요. (단, 삼각형 ㄱㄴㄷ과 삼각형 ㄹㄴㅁ의 높이는 같습니다.)

(**2.6 cm**)

✤ 삼각형 ㄱㄴㄷ의 높이를 □ cm라 하면
  15.6×□÷2=76.44이므로 □=76.44×2÷15.6=9.8입니다.
  (삼각형 ㄹㄴㅁ의 넓이)=76.44÷1.2=63.7 (cm²)
  (선분 ㄴㅁ의 길이)=63.7×2÷9.8=13 (cm)
  따라서 선분 ㅁㄷ의 길이는 15.6-13=2.6 (cm)입니다.

정답과 풀이 8쪽

유형 ⑤ 색 테이프 장수 구하기 〔추론〕

1 길이가 20 cm인 색 테이프를 0.8 cm씩 겹쳐서 한 줄로 길게 이어 붙였더니 이어 붙인 길이가 423.2 cm가 되었습니다. 색 테이프를 몇 장 이어 붙인 것인지 구해 보세요.

❶ 색 테이프 2장을 이어 붙인 길이를 구하는 식입니다. □ 안에 알맞은 수를 써넣으세요.

20+(20-[**0.8**])=[**39.2**] (cm)

✤

겹치는 부분이 1군데이므로 20 cm 1장과 19.2 cm 1장을 더한 것과 같습니다.

❷ 색 테이프 3장을 이어 붙인 길이를 구하는 식입니다. □ 안에 알맞은 수를 써넣으세요.

20+(20-[**0.8**])×[**2**]=[**58.4**] (cm)

✤

겹치는 부분이 2군데이므로 20 cm 1장과 19.2 cm 2장을 더한 것과 같습니다.

❸ 겹쳐진 부분의 수를 □군데라 하고 이어 붙인 길이가 423.2 cm가 되는 식을 써 보세요.

〔예〕 **20+(20-0.8)×□=423.2**

❹ 색 테이프를 몇 장 이어 붙인 것인지 구해 보세요.

✤ 20+(20-0.8)×□=423.2   (**22장**)
  ➡ 20+19.2×□=423.2. 19.2×□=403.2.
  □=403.2÷19.2=21
  따라서 색 테이프의 장수가 겹쳐진 부분의 수보다 1만큼 더 크므로 22장입니다.

2 길이가 10 cm인 색 테이프를 0.6 cm씩 겹쳐서 한 줄로 길게 이어 붙였습니다. 색 테이프를 몇 장 이어 붙인 것인지 구해 보세요. 이어 붙인 길이가 132.2 cm가 되었습니다. 색 테이프를 몇 장 이어 붙인 것인지 구해 보세요.

(**14장**)

✤ 겹쳐진 부분의 수를 □군데라 하면
  10+(10-0.6)×□=132.2입니다.
  ➡ 10+9.4×□=132.2. 9.4×□=122.2,
  □=122.2÷9.4=13
  따라서 색 테이프의 장수가 겹쳐진 부분의 수보다 1만큼 더 크므로 14장입니다.

3 길이가 8 cm인 색 테이프를 0.8 cm씩 겹쳐서 한 줄로 길게 이어 붙였더니 이어 붙인 길이가 72.8 cm가 되었습니다. 색 테이프를 몇 장 이어 붙인 것인지 구해 보세요.

(**10장**)

✤ 겹쳐진 부분의 수를 □군데라 하면 8+(8-0.8)×□=72.8 입니다.
  ➡ 8+7.2×□=72.8. 7.2×□=64.8. □=64.8÷7.2=9
  따라서 색 테이프의 장수가 겹쳐진 부분의 수보다 1만큼 더 크므로 10장입니다.

4 길이가 15 cm인 색 테이프를 1.2 cm씩 겹쳐서 한 줄로 길게 이어 붙였을 때 이어 붙인 길이가 2 m를 넘으려면 색 테이프를 적어도 몇 장 이어 붙여야 하는지 구해 보세요.

(**15장**)

✤ 2 m는 200 cm입니다.
  이어 붙인 길이를 200 cm라 생각하고 겹쳐진 부분의 수를 □군데라 하여 식을 세우면 15+(15-1.2)×□=200입니다.
  ➡ 15+13.8×□=200. 13.8×□=185. □=13.4……
  □는 자연수이므로 2 m를 넘으려면 □는 적어도 14이어야 합니다.
  따라서 색 테이프의 장수가 겹쳐진 부분의 수보다 1만큼 더 크므로 15장입니다.

유형 6 배가 가는 데 걸리는 시간 구하기 ·창의·융합·

정답과 풀이 9쪽

1 1시간 36분 동안 5.76 km를 흐르는 강이 있습니다. 1시간에 38.2 km의 빠르기로 가는 배가 강이 흐르는 방향으로 가고 있을 때 이 배로 125.4 km를 가는 데 걸리는 시간을 구해 보세요. (단, 강과 배의 빠르기는 일정합니다.)

❶ 강은 1시간에 몇 km를 흐르는지 구해 보세요.

(**3.6 km**)

❖ 1시간 36분=1시간+$\frac{36}{60}$시간=1시간+0.6시간=1.6시간

  5.76÷1.6=576÷160=3.6(km)

❷ 알맞은 말에 ○표 하세요.

> 배가 강이 흐르는 방향으로 가고 있으므로 배의 빠르기에 강이 흐르는 빠르기를 (더해야 , 빼야) 합니다.

❸ 강에서 배가 1시간에 몇 km를 가는지 구해 보세요.

(**41.8 km**)

❖ 38.2+3.6=41.8(km)

❹ 배가 125.4 km를 가는 데 걸리는 시간을 구해 보세요.

(**3시간**)

❖ 125.4÷41.8=3(시간)

34 · Jump 6-2

---

2 1시간 12분 동안 2.64 km를 흐르는 강이 있습니다. 1시간에 28.2 km의 빠르기로 가는 배가 강이 흐르는 방향으로 가고 있을 때 이 배로 69.92 km를 가는 데 걸리는 시간을 구해 보세요. (단, 강과 배의 빠르기는 일정합니다.)

❖ 1시간 12분=1.2시간

(**2.3시간**)

강은 1시간에 2.64÷1.2=2.2 (km)의 빠르기로 흐릅니다.
배가 강이 흐르는 방향으로 가고 있으므로 강에서 배는 1시간에
28.2+2.2=30.4(km)를 갑니다. 따라서 배가 69.92 km를 가는 데
걸리는 시간은 69.92÷30.4=2.3(시간)입니다.

3 2시간 6분 동안 8.61 km를 흐르는 강이 있습니다. 1시간에 42.3 km의 빠르기로 가는 배가 강이 흐르는 반대 방향으로 가고 있을 때 이 배로 76.4 km를 가는 데 걸리는 시간을 구해 보세요. (단, 강과 배의 빠르기는 일정합니다.)

> 강이 흐르는 빠르기만큼 느려져요.

❖ 2시간 6분=2.1시간

(**2시간**)

강은 1시간에 8.61÷2.1=4.1 (km)의 빠르기로 흐릅니다.
배가 강이 흐르는 반대 방향으로 가고 있으므로 강에서 배는 1시간에
42.3-4.1=38.2 (km)를 갑니다.
따라서 배가 76.4 km를 가는 데 걸리는 시간은 76.4÷38.2=2(시간)입니다.

4 1시간 30분 동안 3.6 km를 흐르는 강이 있습니다. 가 배는 1시간에 26.4 km의 빠르기로 강이 흐르는 방향으로 가고 나 배는 1시간에 40.8 km의 빠르기로 강이 흐르는 반대 방향으로 가고 있습니다. 두 배가 각각 57.6 km를 가는 데 걸리는 시간의 차를 구해 보세요. (단, 강과 배의 빠르기는 일정합니다.)

❖ 1시간 30분은 1.5시간입니다.

(**0.5시간**)

강은 1시간에 3.6÷1.5=2.4 (km)의 빠르기로 흐릅니다.
(가 배가 1시간에 가는 거리)=26.4+2.4=28.8(km)
(나 배가 1시간에 가는 거리)=40.8-2.4=38.4(km)
(가 배가 57.6 km를 가는 데 걸리는 시간)=57.6÷28.8=2(시간)
(나 배가 57.6 km를 가는 데 걸리는 시간)=57.6÷38.4=1.5(시간)
따라서 걸리는 시간의 차는 2-1.5=0.5(시간)입니다.

2. 소수의 나눗셈 · 35

사고력 종합 평가

정답과 풀이 9쪽

1 다음 나눗셈에서 몫의 소수점 아래 30째 자리 숫자를 구해 보세요.

> 1.8÷1.1

(**3**)

❖ 1.8÷1.1=1.6363……으로 몫의 소수점 아래 숫자는 숫자 6, 3이 반복되므로 30째 자리 숫자는 3입니다.

2 흰색 화살표가 나눗셈의 몫만큼 시계 방향으로 칸을 옮깁니다. 시작에서부터 움직여서 두 번째로 도착한 곳을 화살표로 표시해 보세요.

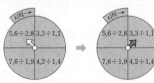

❖ 5.6÷2.8=2이므로 시계 방향으로 2칸 옮기면 4.2÷1.4가 써 있는 칸에 도착합니다.
  4.2÷1.4=3이므로 시계 방향으로 3칸 옮기면 3.3÷1.1이 써 있는 칸에 도착합니다.

3 둘레가 153 m인 원 모양의 호수가 있습니다. 이 호수의 둘레에 4.25 m 간격으로 나무를 세우려고 할 때 나무를 몇 그루 세울 수 있는지 구해 보세요. (단, 나무의 두께는 생각하지 않습니다.)

(**36그루**)

❖ (나무의 수)=153÷4.25=36(그루)

36 · Jump 6-2

---

4 수 카드 4, 2, 8을 한 번씩만 사용하여 몫이 가장 작게 되도록 나눗셈식을 완성하고 몫을 구해 보세요.

> 0.8)2 4

(**30**)

❖ 2<4<8이므로 가장 작은 두 자리 수는 24이고 가장 큰 소수 한 자리 수는 0.8입니다.
➡ 24÷0.8=30

5 수 카드 4, 6, 2, 9를 한 번씩만 사용하여 몫이 가장 크게 되도록 나눗셈식을 완성하고 몫을 구해 보세요.

> 0.2)9 6 4

(**48.2**)

❖ 9>6>4>2이므로 가장 큰 소수 두 자리 수는 9.64이고 가장 작은 소수 한 자리 수는 0.2입니다.
➡ 9.64÷0.2=48.2

6 끈 5 m로 상자 1개를 포장할 수 있습니다. 길이가 162.9 m인 끈으로 상자를 몇 개까지 포장할 수 있고, 남는 끈은 몇 m인지 차례로 구해 보세요.

(**32개**), (**2.9 m**)

```
      3 2
   5)1 6 2.9
     1 5
       1 2
       1 0
        2.9
```

따라서 상자를 32개까지 포장할 수 있고
남는 끈의 길이는 2.9 m입니다.

2. 소수의 나눗셈 · 37

사고력 종합 평가

정답과 풀이 10쪽

7 □ 안에 들어갈 수 있는 가장 큰 자연수를 구해 보세요.

$$72.96 \div 3.8 > \square$$

(**19**)

❖ $72.96 \div 3.8 = 19.2$
➔ $19.2 > \square$ 이므로 □ 안에 들어갈 수 있는 가장 큰 자연수는 19입니다.

8 □ 안에 들어갈 수 있는 자연수는 모두 몇 개인지 구해 보세요.

$$21.98 \div 0.7 < \square < 32.58 \div 0.9$$

(**5개**)

❖ $21.98 \div 0.7 = 31.4$, $32.58 \div 0.9 = 36.2$
➔ $31.4 < \square < 36.2$ 이므로 □ 안에 들어갈 수 있는 자연수는 32, 33, 34, 35, 36으로 모두 5개입니다.

9 어떤 수에 1.4를 곱했더니 53.48이 되었습니다. 어떤 수를 26으로 나누었을 때 몫을 반올림하여 소수 첫째 자리까지 나타내어 보세요.

(**1.5**)

❖ 어떤 수를 □라 하면 $\square \times 1.4 = 53.48$,
$\square = 53.48 \div 1.4 = 38.2$입니다.
$38.2 \div 26 = 1.46 \cdots$ ➔ 1.5

38 · Jump 6-2

10 500원짜리 동전의 무게는 7.7 g입니다. 저울 한쪽에 500원짜리 동전 6개를 올려놓는다면 저울의 수평을 맞추기 위해서는 다른 한쪽에 3.3 g인 추를 몇 개 올려놓아야 하는지 구해 보세요.

(**14개**)

❖ (저울 한쪽의 무게) $= 7.7 \times 6 = 46.2$ (g)
(추의 개수) $= 46.2 \div 3.3 = \dfrac{462}{10} \div \dfrac{33}{10} = 462 \div 33 = 14$(개)

11 삼각형의 넓이는 25.11 cm²입니다. 밑변의 길이가 8.1 cm일 때 높이는 몇 cm인지 구해 보세요.

8.1 cm

(**6.2 cm**)

❖ 높이를 □ cm라 하면 $8.1 \times \square \div 2 = 25.11$입니다.
➔ $\square = 25.11 \times 2 \div 8.1 = 6.2$

12 마름모 ㄱㄴㄷㄹ의 넓이는 직사각형 ㄱㄷㅂㅁ의 넓이의 2.6배입니다. 마름모 ㄱㄴㄷㄹ의 넓이가 130 cm²일 때 선분 ㄱㅁ의 길이는 몇 cm인지 구해 보세요.

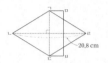

~20.8 cm

(**4 cm**)

❖ 마름모의 다른 대각선의 길이를 □ cm라 하면
$20.8 \times \square \div 2 = 130$이므로 $\square = 130 \times 2 \div 20.8 = 12.5$입니다.
(직사각형 ㄱㄷㅂㅁ의 넓이) $= 130 \div 2.6 = 50$ (cm²)
따라서 선분 ㄱㅁ의 길이는 $50 \div 12.5 = 4$ (cm)입니다.

2. 소수의 나눗셈 · 39

사고력 종합 평가

정답과 풀이 10쪽

13 번개가 친 곳에서 0.34 km 떨어진 곳은 번개가 친 지 약 1초 뒤에 천둥소리를 들을 수 있습니다. 번개가 친 곳에서 6 km 떨어진 곳은 번개가 친 지 몇 초 뒤에 천둥소리를 들을 수 있는지 반올림하여 소수 첫째 자리까지 나타내어 보세요.

(**17.6초**)

❖ $6 \div 0.34 = 17.64 \cdots$ ➔ 17.6
따라서 번개가 친 지 17.6초 뒤에 천둥소리를 들을 수 있습니다.

14 길이가 15 cm인 색 테이프를 0.5 cm씩 겹쳐서 한 줄로 길게 이어 붙였더니 이어 붙인 길이가 377.5 cm가 되었습니다. 색 테이프를 몇 장 이어 붙인 것인지 구해 보세요.

377.5 cm

(**26장**)

❖ 겹쳐진 부분의 수를 □군데라 하면
$15 + (15 - 0.5) \times \square = 377.5$입니다.
➔ $15 + 14.5 \times \square = 377.5$, $14.5 \times \square = 362.5$,
$\square = 362.5 \div 14.5 = 25$
따라서 색 테이프의 장수가 겹쳐진 부분의 수보다 1만큼 더 크므로 26장입니다.

15 1시간 30분 동안 5.25 km를 흐르는 강이 있습니다. 1시간에 31 km의 빠르기로 가는 배가 강이 흐르는 방향으로 가고 있을 때 이 배로 138 km를 가는 데 걸리는 시간을 구해 보세요.
(단, 강과 배의 빠르기는 일정합니다.)

(**4시간**)

❖ 1시간 30분은 1.5시간입니다.
강은 1시간에 $5.25 \div 1.5 = 3.5$ (km)의 빠르기로 흐릅니다.
배가 강이 흐르는 방향으로 가고 있으므로 강에서 배는 1시간에
$31 + 3.5 = 34.5$ (km)를 갑니다.
따라서 배가 138 km를 가는 데 걸리는 시간은
$138 \div 34.5 = 4$(시간)입니다.

40 · Jump 6-2

[GO! 매쓰]
여기까지 2단원 내용입니다.
다음부터는 3단원 내용이
시작합니다.

유형 ① 각 층에 쌓인 쌓기나무의 개수 문제 해결

1 쌓기나무로 쌓은 모양을 보고 위에서 본 모양에 수를 쓴 것입니다. 2층에 쌓인 쌓기나무가 많은 것부터 차례로 기호를 써 보세요.

① 가 모양의 2층에 쌓인 쌓기나무의 개수를 구해 보세요.

(**8개**)

✤ 2 이상의 수가 써 있는 칸이 8개이므로 2층에 쌓인 쌓기나무는 8개입니다.

② 나 모양의 2층에 쌓인 쌓기나무의 개수를 구해 보세요.

(**9개**)

✤ 2 이상의 수가 써 있는 칸이 9개이므로 2층에 쌓인 쌓기나무는 9개입니다.

③ 다 모양의 2층에 쌓인 쌓기나무의 개수를 구해 보세요.

(**7개**)

✤ 2 이상의 수가 써 있는 칸이 7개이므로 2층에 쌓인 쌓기나무는 7개입니다.

④ 2층에 쌓인 쌓기나무가 많은 것부터 차례로 기호를 써 보세요.

(**나, 가, 다**)

✤ 9＞8＞7이므로 나, 가, 다입니다.

42 · Jump 6-2

2 쌓기나무로 쌓은 모양을 보고 위에서 본 모양에 수를 쓴 것입니다. 가와 나 모양의 2층에 쌓인 쌓기나무 개수의 차는 몇 개인지 구해 보세요.

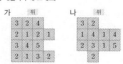

(**3개**)

✤ 가: 2 이상의 수가 써 있는 칸이 11개이므로 2층에 쌓인 쌓기나무는 11개입니다.
　나: 2 이상의 수가 써 있는 칸이 8개이므로 2층에 쌓인 쌓기나무는 8개입니다.
➡ 11－8＝3(개)

3 쌓기나무로 쌓은 모양을 보고 위에서 본 모양에 수를 쓴 것입니다. 가, 나, 다 모양의 3층에 쌓인 쌓기나무는 모두 몇 개인지 구해 보세요.

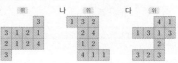

(**12개**)

✤ 가: 3 이상의 수가 써 있는 칸이 4개이므로 3층에 쌓인 쌓기나무는 4개입니다.
　나: 3 이상의 수가 써 있는 칸이 3개이므로 3층에 쌓인 쌓기나무는 3개입니다.
　다: 3 이상의 수가 써 있는 칸이 5개이므로 3층에 쌓인 쌓기나무는 5개입니다.
➡ 4＋3＋5＝12(개)

3. 공간과 입체 · 43

3 단원

유형 ② 보이지 않는 부분에 있는 쌓기나무 추론

1 쌓기나무 14개로 쌓은 모양과 위에서 본 모양입니다. 보이지 않는 부분에 쌓인 쌓기나무는 몇 개인지 구해 보세요.

위에서 본 모양

① 올바른 설명을 한 사람을 찾아 이름을 써 보세요.

 준우 쌓은 모양에서 쌓기나무가 보이지 않으면 위에서 본 모양에 색칠되어 있더라도 쌓기나무가 없는 것입니다.

 윤하 쌓은 모양에서 쌓기나무가 보이지 않더라도 위에서 본 모양에 색칠되어 있으면 쌓기나무가 있는 것입니다.

(**윤하**)

② 위에서 본 모양의 각 자리 중 쌓은 모양에서 보이지 않는 부분에 빗금을 쳐 보세요.

③ ②에서 찾은 부분을 제외한 나머지 부분에 쌓인 쌓기나무의 개수를 구해 보세요.

(**10개**)

✤ 3＋2＋1＋2＋1＋1＝10(개)

④ 보이지 않는 부분에 쌓인 쌓기나무는 몇 개인지 구해 보세요.

(**4개**)

✤ 14－10＝4(개)

44 · Jump 6-2

2 쌓기나무 18개로 쌓은 모양과 위에서 본 모양입니다. 보이지 않는 부분에 쌓인 쌓기나무는 몇 개인지 구해 보세요.

위에서 본 모양

(**5개**)

✤ 위에서 본 모양의 각 자리 중 쌓은 모양에서 보이지 않는 부분에 빗금을 쳐 보면 위와 같습니다.
　보이지 않는 부분을 제외한 나머지 부분에 쌓인 쌓기나무의 개수는 3＋2＋2＋2＋2＋1＋1＝13(개)입니다.
➡ 18－13＝5(개)

3 각각 쌓기나무 21개로 쌓은 모양과 위에서 본 모양입니다. 보이지 않는 부분에 쌓인 쌓기나무의 개수의 합을 구해 보세요.

위에서 본 모양　　　위에서 본 모양

(**11개**)

✤ 위에서 본 모양의 각 자리 중 쌓은 모양에서 보이지 않는 부분에 빗금을 쳐 보면 위와 같습니다.
　가: 보이지 않는 부분을 제외한 나머지 부분에 쌓인 쌓기나무의 개수는 15개이므로 21－15＝6(개)입니다.
　나: 보이지 않는 부분을 제외한 나머지 부분에 쌓인 쌓기나무의 개수는 16개이므로 21－16＝5(개)입니다.
➡ 6＋5＝11(개)

3. 공간과 입체 · 45

3 단원

쌓기나무가 가장 많을(적을) 때 추론

1 쌓기나무로 쌓은 모양을 위, 앞, 옆에서 본 모양입니다. 쌓기나무를 가장 많이 사용했을 때와 가장 적게 사용했을 때의 쌓기나무 개수의 차를 구해 보세요.

① 알맞은 말에 ○표 하세요.

쌓은 모양을 앞과 옆에서 본 모양은 각 방향에서 각 줄의 가장 (높은, 낮은) 층의 모양과 같습니다.

② 쌓기나무를 가장 많이 사용했을 때의 쌓기나무의 개수를 구하려고 합니다. 위에서 본 모양의 각 자리와 □ 안에 알맞은 수를 써넣으세요.

❖ 쌓기나무를 가장 많이 사용하려면 각 자리에 모두 3층으로 쌓으면 됩니다.

위
3	3	3
3	3	3
3	3	3

쌓기나무의 개수: 27 개

③ 쌓기나무를 가장 적게 사용했을 때의 쌓기나무의 개수를 구하려고 합니다. 위에서 본 모양의 각 자리와 □ 안에 알맞은 수를 써넣으세요.

❖ 쌓기나무를 가장 적게 사용하려면 각 방향에서 각 줄의 한 자리씩만 3층으로 쌓으면 됩니다.

위
3	1	1
1	3	1
1	1	3

쌓기나무의 개수: 15 개

④ 쌓기나무를 가장 많이 사용했을 때와 가장 적게 사용했을 때의 쌓기나무 개수의 차를 구해 보세요.

❖ 27 − 15 = 12(개)

(12개)

46 · Jump 6-2

2 쌓기나무로 쌓은 모양을 위, 앞, 옆에서 본 모양입니다. 쌓기나무를 가장 많이 사용했을 때와 가장 적게 사용했을 때의 쌓기나무 개수의 차를 구해 보세요.

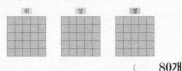

(80개)

❖ 쌓기나무를 가장 많이 사용했을 때

위
5	5	5	5	5
5	5	5	5	5
5	5	5	5	5
5	5	5	5	5
5	5	5	5	5

➡ 125개

쌓기나무를 가장 적게 사용했을 때

예   위
5	1	1	1	1
1	5	1	1	1
1	1	5	1	1
1	1	1	5	1
1	1	1	1	5

➡ 45개

➡ 125 − 45 = 80(개)

3 쌓기나무로 쌓은 모양을 위, 앞, 옆에서 본 모양입니다. 쌓기나무를 가장 많이 사용했을 때와 가장 적게 사용했을 때의 쌓기나무 개수의 차를 구해 보세요.

(2개)

❖ 쌓기나무를 가장 많이 사용했을 때

위
2	2	
1	1	1
3	2	3

➡ 15개

쌓기나무를 가장 적게 사용했을 때

위
1	2	
1	1	1
3	1	3

➡ 13개

➡ 15 − 13 = 2(개)

3. 공간과 입체 · 47

유형 ④ 색칠한 부분의 넓이 구하기 창의 · 융합

1 미라와 윤호가 쌓기나무로 쌓은 모양의 바깥쪽 면에 모두 색칠했다면 색칠한 부분의 넓이는 몇 cm²인지 구해 보세요. (단, 바닥에 닿은 면도 색칠한 것으로 생각합니다.)

쌓기나무는 한 모서리의 길이가 10 cm인 정육면체 모양이야.

모양을 만드는 데 쌓기나무 10개를 사용했어.

① 쌓은 모양을 위에서 보았을 때의 넓이는 몇 cm²인지 구해 보세요.

(500 cm²)

❖ 위
한 칸의 넓이가 10 × 10 = 100 (cm²)이므로 100 × 5 = 500 (cm²)입니다.

② 쌓은 모양을 앞에서 보았을 때의 넓이는 몇 cm²인지 구해 보세요.

(700 cm²)

❖ 앞
한 칸의 넓이가 10 × 10 = 100 (cm²)이므로 100 × 7 = 700 (cm²)입니다.

③ 쌓은 모양을 옆에서 보았을 때의 넓이는 몇 cm²인지 구해 보세요.

(500 cm²)

❖ 옆
한 칸의 넓이가 10 × 10 = 100 (cm²)이므로 100 × 5 = 500 (cm²)입니다.

④ 색칠한 부분의 넓이는 몇 cm²인지 구해 보세요.

❖ 색칠한 부분의 넓이는 위, 앞, 옆에서 보이는 면의 넓이의 합의 2배입니다.

(3400 cm²)

➡ (500 + 700 + 500) × 2 = 1700 × 2 = 3400 (cm²)

48 · Jump 6-2

2 한 모서리의 길이가 3 cm인 정육면체 모양의 쌓기나무 12개로 쌓은 모양의 바깥쪽 면에 모두 색칠했다면 색칠한 부분의 넓이는 몇 cm²인지 구해 보세요. (단, 바닥에 닿은 면도 색칠한 것으로 생각합니다.)

❖ 한 칸의 넓이는 3 × 3 = 9 (cm²)입니다.

(342 cm²)

위   앞   옆

➡ 9 × 7 = 63 (cm²)   ➡ 9 × 6 = 54 (cm²)   ➡ 9 × 6 = 54 (cm²)

색칠한 부분의 넓이는 위, 앞, 옆에서 보이는 면의 넓이의 합의 2배입니다.

➡ (63 + 54 + 54) × 2 = 171 × 2 = 342 (cm²)

3 한 모서리의 길이가 5 cm인 정육면체 모양의 쌓기나무 12개로 쌓은 모양의 바깥쪽 면에 모두 색칠했다면 색칠한 부분의 넓이는 몇 cm²인지 구해 보세요. (단, 바닥에 닿은 면도 색칠한 것으로 생각합니다.)

빗금을 친 면

❖ 한 칸의 넓이는 5 × 5 = 25 (cm²)입니다.

(1050 cm²)

위   앞   옆

➡ 25 × 7 = 175 (cm²)   ➡ 25 × 7 = 175 (cm²)   ➡ 25 × 6 = 150 (cm²)

색칠한 부분의 넓이는 위, 앞, 옆에서 보이는 면의 넓이의 합의 2배와 빗금을 친 면과 이 면과 마주 보는 면의 넓이를 더해 주어야 합니다.

➡ (175 + 175 + 150) × 2 + 25 × 2 = 500 × 2 + 50 = 1050 (cm²)

3. 공간과 입체 · 49

유형 ⑤ 여러 가지 모양 만들기 [추론]

1 모양에 쌓기나무 1개를 더 붙여서 만들 수 있는 서로 다른 모양은 모두 몇 가지인지 구해 보세요. (단, 돌리거나 뒤집었을 때 같은 모양인 것은 1가지로 생각합니다.)

❶ 쌓기나무 1개를 더 놓을 수 있는 부분을 모두 찾으려고 합니다. 다음과 같이 주어진 모양에 쌓기나무 1개를 더 놓을 수 있는 부분에 ○표 하세요. (단, 바닥에 닿은 부분은 생각하지 않습니다.)

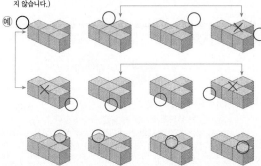

❷ 서로 같은 모양인 것 중 1개씩만 ×표 하세요.
✤ 화살표로 표시된 것끼리 서로 같은 모양입니다.

❸ 만들 수 있는 서로 다른 모양은 모두 몇 가지인지 구해 보세요.
(**9가지**)
✤ 서로 같은 모양인 것을 제외하면 모두 9가지입니다.

정답과 풀이 13쪽

2 모양에 쌓기나무 1개를 더 붙여서 만들 수 있는 서로 다른 모양은 모두 몇 가지인지 구해 보세요. (단, 돌리거나 뒤집었을 때 같은 모양인 것은 1가지로 생각합니다.)
(**2가지**)

✤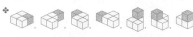

3 모양에 쌓기나무 1개를 더 붙여서 만들 수 있는 서로 다른 모양은 모두 몇 가지인지 구해 보세요. (단, 돌리거나 뒤집었을 때 같은 모양인 것은 1가지로 생각합니다.)
(**7가지**)

✤

4 모양에 쌓기나무 1개를 더 붙여서 만들 수 있는 서로 다른 모양은 모두 몇 가지인지 구해 보세요. (단, 돌리거나 뒤집었을 때 같은 모양인 것은 1가지로 생각합니다.)
(**8가지**)

유형 ⑥ 조건에 따라 쌓기나무 모양 만들기 [추론]

1 쌓기나무 7개를 사용하여 조건을 모두 만족하도록 쌓으려고 합니다. 모두 몇 가지로 쌓을 수 있는지 구해 보세요. (단, 돌리거나 뒤집었을 때 같은 모양인 것은 1가지로 생각합니다.)

조건
• 쌓기나무로 쌓은 모양은 3층입니다.
• 위에서 본 모양은 ▦ 입니다.

❶ 1층에 쌓은 쌓기나무의 개수를 구해 보세요.
(**4개**)
✤ 1층의 모양은 위에서 본 모양과 같으므로 4개입니다.

❷ 2층과 3층에 쌓은 쌓기나무의 개수를 각각 구해 보세요.
2층 (**2개**), 3층 (**1개**)
✤ 1층에 쌓은 쌓기나무가 4개이므로 2층과 3층에 쌓은 쌓기나무 개수의 합은 7-4=3(개)입니다.
➔ 2층에 2개, 3층에 1개를 쌓은 것입니다.

❸ 조건을 만족하도록 위에서 본 모양의 각 자리에 수를 써넣으세요.

❹ 모두 몇 가지로 쌓을 수 있는지 구해 보세요.
(**3가지**)

정답과 풀이 13쪽

2 쌓기나무 10개를 사용하여 조건을 모두 만족하도록 쌓으려고 합니다. 모두 몇 가지로 쌓을 수 있는지 구해 보세요. (단, 돌리거나 뒤집었을 때 같은 모양인 것은 1가지로 생각합니다.)

조건
• 쌓기나무로 쌓은 모양은 2층입니다.
• 위에서 본 모양은 ▦ 입니다.
• 앞에서 본 모양과 옆에서 본 모양이 같습니다.

(**3가지**)

✤ 1층의 모양은 위에서 본 모양과 같으므로 1층에 쌓은 쌓기나무는 9개입니다. 1층에 쌓은 쌓기나무가 9개이므로 2층에 쌓은 쌓기나무는 10-9=1(개)입니다.

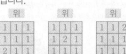

3 쌓기나무 8개를 사용하여 조건을 모두 만족하도록 쌓으려고 합니다. 모두 몇 가지로 쌓을 수 있는지 구해 보세요. (단, 돌리거나 뒤집었을 때 같은 모양인 것은 1가지로 생각합니다.)

조건
• 쌓기나무로 쌓은 모양은 3층입니다.
• 위에서 본 모양은 ⊞ 입니다.
• 앞에서 본 모양과 옆에서 본 모양이 같습니다.

(**2가지**)

✤ 1층의 모양은 위에서 본 모양과 같으므로 1층에 쌓은 쌓기나무는 5개입니다. 1층에 쌓은 쌓기나무가 5개이므로 2층과 3층에 쌓은 쌓기나무 개수의 합은 8-5=3(개)입니다.
➔ 2층에 2개, 3층에 1개를 쌓은 것입니다.

사고력 종합 평가

정답과 풀이 14쪽

1 쌓기나무 15개로 주어진 모양과 똑같이 쌓고 남는 쌓기나무는 몇 개인지 구해 보세요.

위에서 본 모양

(**4개**)

❖ 1층에 6개, 2층에 4개, 3층에 1개이므로 필요한 쌓기나무의 개수는
6+4+1=11(개)입니다.
따라서 남는 쌓기나무는 15-11=4(개)입니다.

2 쌓기나무로 쌓은 모양을 보고 위에서 본 모양에 수를 쓴 것입니다. 가와 나 모양의 3층에 쌓인 쌓기나무 개수의 합은 몇 개인지 구해 보세요.

(**11개**)

❖ 가: 3 이상의 수가 써 있는 칸이 5개이므로 3층에 쌓인 쌓기나무는 5개입니다.
나: 3 이상의 수가 써 있는 칸이 6개이므로 3층에 쌓인 쌓기나무는 6개입니다.
➜ 5+6=11(개)

3 쌓기나무로 쌓은 모양을 층별로 나타낸 모양입니다. 위, 앞, 옆에서 본 모양을 각각 그려 보세요.

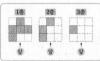 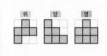

❖ ・위에서 본 모양은 1층의 모양과 똑같이 그립니다.
・앞에서 보면 왼쪽에서부터 3층, 2층, 1층으로 보입니다.
・옆에서 보면 왼쪽에서부터 2층, 3층, 2층으로 보입니다.

54 · Jump 6-2

4 쌓기나무를 각각 4개씩 붙여서 만든 두 가지 모양을 사용하여 만들 수 있는 모양을 모두 찾아 기호를 써 보세요.

 가 나 다 라

(**가, 라**)

❖ 가 라

5 쌓기나무 13개로 쌓은 모양과 위에서 본 모양입니다. 보이지 않는 부분에 쌓인 쌓기나무는 몇 개인지 구해 보세요.

위에서 본 모양

(**2개**)

❖ 위에서 본 모양의 각 자리 중 쌓은 모양에서 보이지 않는 부분에 빗금을 쳐 보면 위와 같습니다.
보이지 않는 부분을 제외한 나머지 부분에 쌓인 쌓기나무의 개수는 3+1+3+3+1=11(개)입니다.
➜ 13-11=2(개)

6 쌓기나무로 쌓은 정육면체 모양의 바깥쪽 면을 모두 색칠했습니다. 두 면이 색칠된 쌓기나무의 개수와 세 면이 색칠된 쌓기나무의 개수의 차는 몇 개인지 구해 보세요. (단, 바닥에 닿은 면도 색칠된 것으로 생각합니다.)

❖ (두 면이 색칠된 쌓기나무의 개수) =8+4+4+8 =24(개)

 (세 면이 색칠된 쌓기나무의 개수) =4+4=8(개)

(**16개**)

➜ 24-8=16(개)

3. 공간과 입체 · 55

사고력 종합 평가

정답과 풀이 14쪽

❖ 쌓기나무를 가장 많이 사용했을 때

위

➜ 64개

7 쌓기나무로 쌓은 모양을 위, 앞, 옆에서 본 모양입니다. 쌓기나무를 가장 많이 사용했을 때와 가장 적게 사용했을 때의 쌓기나무 개수의 차를 구해 보세요.

쌓기나무를 가장 적게 사용했을 때

위 앞 옆

(**36개**)

예
➜ 28개

➜ 64-28=36(개)

8 쌓기나무 12개로 쌓은 모양입니다. 빗금을 친 쌓기나무 위에 쌓기나무를 각각 1개씩 더 쌓은 모양을 앞에서 손전등으로 비추었을 때 생기는 그림자 모양을 찾아 기호를 써 보세요.

앞 ㄱ ㄴ ㄷ

(**ㄷ**)

❖ ➜ 빗금을 친 쌓기나무 위에 쌓기나무를 각각 1개씩 더 쌓은 모양을 앞에서 보면 왼쪽에서부터 3층, 2층, 3층으로 보입니다.

9 다음 모양과 똑같이 쌓으려고 합니다. 쌓기나무를 가장 많이 사용했을 때와 가장 적게 사용했을 때의 쌓기나무의 개수를 차례로 구해 보세요.

(**14개**).(**10개**)

❖ 가장 많을 때
위
14개

가장 적을 때
위
10개

56 · Jump 6-2

❖ 한 칸의 넓이는 4×4=16 (cm²)입니다.

위 앞

➜ 16×6=96 (cm²) ➜ 16×7=112 (cm²)

10 한 모서리의 길이가 4 cm인 정육면체 모양의 쌓기나무 12개로 쌓은 모양의 바깥쪽 면에 모두 색칠했다면 색칠한 부분의 넓이는 몇 cm²인지 구해 보세요. (단, 바닥에 닿은 면도 색칠한 것으로 생각합니다.)

옆   빗금을 친 면

➜ 16×7=112 (cm²)

(**672 cm²**)

색칠한 부분의 넓이는 위, 앞, 옆에서 보이는 면의 넓이의 합의 2배와 빗금을 친 면과 이 면과 마주 보는 면의 넓이를 더해 주어야 합니다.
➜ (96+112+112)×2+16×2=320×2+32=672 (cm²)

11 다음 모양에 쌓기나무를 더 쌓아 가장 작은 정육면체 모양을 만들려고 합니다. 쌓기나무는 몇 개 더 필요한지 구해 보세요.

위에서 본 모양

(**14개**)

❖ 가로, 세로, 높이에 쌓기나무를 각각 3개씩 쌓으면 가장 작은 정육면체가 되므로 3×3×3=27(개)가 있어야 합니다.
(쌓은 쌓기나무의 개수)=2+2+3+2+2+1+1=13(개)
➜ (더 필요한 쌓기나무의 개수)=27-13=14(개)

12 위, 앞, 옆에서 본 모양이 모두 변하지 않도록 쌓기나무 1개를 빼내려고 합니다. 빼낼 수 있는 쌓기나무를 찾아 기호를 써 보세요.

(**ㄴ**)

❖ ㄱ을 빼내면 앞과 옆에서 본 모양이 변합니다.
ㄷ을 빼내면 위와 옆에서 본 모양이 변합니다.

3. 공간과 입체 · 57

사고력 종합 평가

정답과 풀이 15쪽

13 쌓기나무 4개로 만들 수 있는 서로 다른 모양은 모두 몇 가지인지 구해 보세요. (단, 돌리거나 뒤집었을 때 같은 모양인 것은 1가지로 생각합니다.)

(**8가지**)

14 왼쪽과 같은 정육면체 모양에서 쌓기나무 몇 개를 빼내었더니 오른쪽과 같은 모양이 되었습니다. 빼낸 쌓기나무는 몇 개인지 구해 보세요.

 →

(**40개**)

❖ (처음 쌓기나무의 개수)$=4 \times 4 \times 4 = 64$(개)
남은 쌓기나무는 1층 11개, 2층 7개, 3층 4개, 4층 2개입니다.
(남은 쌓기나무의 개수)$=11+7+4+2=24$(개)
➡ (빼낸 쌓기나무의 개수)$=64-24=40$(개)

15 쌓기나무 8개를 사용하여 조건을 모두 만족하도록 쌓으려고 합니다. 모두 몇 가지로 쌓을 수 있는지 구해 보세요. (단, 돌리거나 뒤집었을 때 같은 모양인 것은 1가지로 생각합니다.)

조건
• 쌓기나무로 쌓은 모양은 3층입니다.
• 위에서 본 모양은 ▨ 입니다.
• 앞에서 본 모양과 옆에서 본 모양이 같습니다.

(**3가지**)

❖ 1층의 모양은 위에서 본 모양과 같으므로 1층에 쌓은 쌓기나무는 5개입니다.
1층에 쌓은 쌓기나무가 5개이므로 2층과 3층에 쌓은 쌓기나무 개수의 합은 $8-5=3$(개)입니다.
➡ 2층에 2개, 3층에 1개를 쌓은 것입니다.

[GO! 매쓰]
여기까지 3단원 내용입니다.
다음부터는 4단원 내용이 시작합니다.

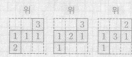

유형 ① **비율이 같은 비 구하기** 〔문제 해결〕

정답과 풀이 15쪽

1 18 : 14와 비율이 같은 비 중에서 전항과 후항의 차가 10인 비를 구해 보세요.

주어진 비를 간단한 자연수의 비로 나타내 봐.
민기

전항과 후항에 같은 수를 곱해 비율이 같은 비를 구해 봐.
예지

① 18과 14의 최대공약수를 구해 보세요.

(**2**)

❖ 2) 18 14
    9   7

② 18 : 14를 ①에서 구한 최대공약수로 나누어 간단한 자연수의 비로 나타내어 보세요.

(**9 : 7**)

    ÷2
❖ 18 : 14 ➡ 9 : 7
    ÷2

③ ②에서 구한 비와 비율이 같은 비를 전항이 작은 순서대로 4개 써 보세요.

18 : 14, 27 : 21, 36 : 28, 45 : 35

④ ③에서 구한 비 중에서 전항과 후항의 차가 10인 비를 구해 보세요.

(**45 : 35**)

❖ $18-14=4$, $27-21=6$, $36-28=8$, $45-35=10$입니다.
따라서 전항과 후항의 차가 10인 비는 45 : 35입니다.

2 40 : 24와 비율이 같은 비 중에서 전항과 후항의 차가 8인 비를 구해 보세요.

(**20 : 12**)

❖ 40 : 24를 간단한 자연수의 비로 나타내면 5 : 3입니다.
5 : 3과 비율이 같은 비를 구해 보면 10 : 6, 15 : 9, 20 : 12……가 있습니다.
전항과 후항의 차를 구해 보면 $5-3=2$, $10-6=4$, $15-9=6$, $20-12=8$……입니다.
따라서 전항과 후항의 차가 8인 비는 20 : 12입니다.

3 1.1 : 0.6과 비율이 같은 비 중에서 전항과 후항의 합이 85인 비를 구해 보세요.

(**55 : 30**)

❖ 1.1 : 0.6을 간단한 자연수의 비로 나타내면 11 : 6입니다.
11 : 6과 비율이 같은 비를 구해 보면 22 : 12, 33 : 18, 44 : 24, 55 : 30……이 있습니다.
전항과 후항의 합을 구해 보면 $11+6=17$, $22+12=34$, $33+18=51$, $44+24=68$, $55+30=85$……입니다.
따라서 전항과 후항의 합이 85인 비는 55 : 30입니다.

4 두 사람의 대화에 알맞은 비를 구해 보세요.

$1\frac{1}{2}$: 0.8과 비율이 같아.
서희

전항과 후항의 차가 28이야.
윤하

(**60 : 32**)

❖ $1\frac{1}{2}$: 0.8을 간단한 자연수의 비로 나타내면 $\frac{3}{2}$: $\frac{4}{5}$ ➡ 15 : 8입니다.
15 : 8과 비율이 같은 비를 구해 보면 30 : 16, 45 : 24, 60 : 32……가 있습니다.
전항과 후항의 차를 구해 보면 $15-8=7$, $30-16=14$, $45-24=21$, $60-32=28$……입니다.
따라서 전항과 후항의 차가 28인 비는 60 : 32입니다.

4
단원

유형 ② 길이의 비로 넓이 구하기 〔문제 해결〕

1 직사각형 가와 나의 세로는 같습니다. 두 직사각형 가와 나의 넓이의 합이 220 cm²일 때 가와 나의 넓이를 각각 구해 보세요.

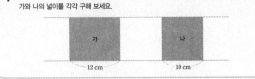

❶ □ 안에 알맞은 말을 써넣으세요.

(직사각형의 넓이)=(**가로**)×(세로)

❷ 알맞은 말에 ◯표 하세요.

두 직사각형의 세로가 같을 때 넓이의 비는 가로의 비와 (〔갈습니다〕, 다릅니다).

❸ 두 직사각형의 넓이의 비를 간단한 자연수의 비로 나타내어 보세요.
(예 **6 : 5**)

✤ (직사각형 가의 넓이) : (직사각형 나의 넓이)
$=12 : 10 \Rightarrow 6 : 5$

❹ 직사각형 가와 나의 넓이를 각각 구해 보세요.

가의 넓이 (**120 cm²**)
나의 넓이 (**100 cm²**)

62 · Jump 6-2

✤ (직사각형 가의 넓이)$=220 \times \dfrac{6}{6+5}=220 \times \dfrac{6}{11}=120\,(\text{cm}^2)$

(직사각형 나의 넓이)$=220 \times \dfrac{5}{6+5}=220 \times \dfrac{5}{11}=100\,(\text{cm}^2)$

---

2 두 평행사변형 가와 나의 높이는 같습니다. 두 평행사변형 가와 나의 넓이의 합은 306 cm²입니다. 평행사변형 나의 넓이는 몇 cm²인지 구해 보세요.

✤ 높이가 같으므로 넓이의 비는 밑변의 길이의 비와 같습니다. (**180 cm²**)
(가의 넓이) : (나의 넓이)$=14 : 20 \Rightarrow 7 : 10$
(나의 넓이)$=306 \times \dfrac{10}{7+10}=306 \times \dfrac{10}{17}=180\,(\text{cm}^2)$

3 두 삼각형 가와 나의 높이는 같습니다. 삼각형 가와 나의 넓이의 합은 96 cm²입니다. 삼각형 가의 넓이는 몇 cm²인지 구해 보세요.

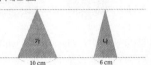

✤ 높이가 같으므로 넓이의 비는 밑변의 길이의 비와 같습니다. (**60 cm²**)
(가의 넓이) : (나의 넓이)$=10 : 6 \Rightarrow 5 : 3$
(가의 넓이)$=96 \times \dfrac{5}{5+3}=96 \times \dfrac{5}{8}=60\,(\text{cm}^2)$

4 삼각형 ㄱㄴㄷ에서 선분 ㄴㄹ과 선분 ㄹㄷ의 길이의 비는 6 : 8입니다. 삼각형 ㄱㄴㄹ의 넓이가 27 cm²일 때 삼각형 ㄱㄴㄷ의 넓이는 몇 cm²인지 구해 보세요.

✤ 삼각형 ㄱㄴㄹ과 ㄱㄹㄷ의 높이는 같으므로 넓이의 비는 밑변의 길이의 비와 같습니다.
(**63 cm²**)
(삼각형 ㄱㄴㄹ의 넓이) : (삼각형 ㄱㄹㄷ의 넓이)$=6 : 8 \Rightarrow 3 : 4$

삼각형 ㄱㄴㄷ의 넓이를 □ cm²라 하면 $\square \times \dfrac{3}{3+4}=\square \times \dfrac{3}{7}=27$입니다.
$\square=27 \div \dfrac{3}{7}, \square=63$

4 단원

4. 비례식과 비례배분 · 63

유형 ③ 도형의 넓이의 비 구하기 〔추론〕

1 다음 그림과 같이 원과 삼각형이 겹쳐져 있습니다. 겹쳐진 부분의 넓이는 원의 넓이의 $\dfrac{1}{4}$ 이고, 삼각형의 넓이의 $\dfrac{2}{5}$입니다. 원과 삼각형의 넓이의 비를 간단한 자연수의 비로 나타내어 보세요.

❶ 겹쳐진 부분의 넓이의 관계를 식으로 나타내어 보세요.

(원의 넓이)$\times \dfrac{1}{4}=$(삼각형의 넓이)$\times \dfrac{2}{5}$

✤ 겹쳐진 부분의 넓이는 같습니다.

❷ 원과 삼각형의 넓이의 비를 비례식으로 나타내어 보세요.

(원의 넓이) : (삼각형의 넓이)$=\dfrac{2}{5} : \dfrac{1}{4}$

✤ 비례식에서 외항의 곱과 내항의 곱은 같으므로
(원의 넓이) : (삼각형의 넓이)$=\dfrac{2}{5} : \dfrac{1}{4}$과 같이 나타낼 수 있습니다.

❸ 원과 삼각형의 넓이의 비를 간단한 자연수의 비로 나타내어 보세요.
(예 **8 : 5**)

✤ $\dfrac{2}{5} : \dfrac{1}{4}$의 전항과 후항에 분모의 공배수인 20을 곱하면 8 : 5기 됩니다.

64 · Jump 6-2

---

2 다음 그림과 같이 직사각형 ㉮와 원 ㉯가 겹쳐져 있습니다. 겹쳐진 부분의 넓이는 ㉮의 넓이의 $\dfrac{3}{8}$, ㉯의 넓이의 $\dfrac{1}{5}$입니다. ㉮와 ㉯의 넓이의 비를 간단한 자연수의 비로 나타내어 보세요.

✤ $㉮ \times \dfrac{3}{8}=㉯ \times \dfrac{1}{5} \Rightarrow ㉮ : ㉯=\dfrac{1}{5} : \dfrac{3}{8}$ (예 **8 : 15**)
$\dfrac{1}{5} : \dfrac{3}{8}$의 전항과 후항에 분모의 공배수인 40을 곱하면 8 : 15가 됩니다.

3 다음 그림과 같이 삼각형 ㉮와 사각형 ㉯가 겹쳐져 있습니다. 겹쳐진 부분의 넓이는 ㉮의 넓이의 $\dfrac{4}{7}$, ㉯의 넓이의 $\dfrac{2}{9}$입니다. ㉮와 ㉯의 넓이의 비를 간단한 자연수의 비로 나타내어 보세요.

✤ $㉮ \times \dfrac{4}{7}=㉯ \times \dfrac{2}{9} \Rightarrow ㉮ : ㉯=\dfrac{2}{9} : \dfrac{4}{7}$ (예 **7 : 18**)
$\dfrac{2}{9} : \dfrac{4}{7}$의 전항과 후항에 분모의 공배수인 63을 곱하면 14 : 36이 되고 비의 전항과 후항을 2로 나누면 7 : 18이 됩니다.

4 원 ㉮와 삼각형 ㉯가 겹쳐져 있습니다. ㉮에서 겹쳐지지 않은 부분의 넓이는 ㉮의 넓이의 $\dfrac{5}{7}$이고, ㉯에서 겹쳐지지 않은 부분의 넓이는 ㉯의 넓이의 $\dfrac{3}{4}$입니다. ㉮와 ㉯의 넓이의 비를 간단한 자연수의 비로 나타내어 보세요.
(예 **7 : 8**)

✤ 겹쳐진 부분의 넓이는 ㉮의 $1-\dfrac{5}{7}=\dfrac{2}{7}$, ㉯의 $1-\dfrac{3}{4}=\dfrac{1}{4}$입니다.
$㉮ \times \dfrac{2}{7}=㉯ \times \dfrac{1}{4} \Rightarrow ㉮ : ㉯=\dfrac{1}{4} : \dfrac{2}{7}$

4 단원

4. 비례식과 비례배분 · 65

$\dfrac{1}{4} : \dfrac{2}{7}$의 전항과 후항에 분모의 공배수인 28을 곱하면 7 : 8이 됩니다.

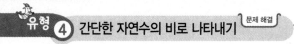

유형 ④ 간단한 자연수의 비로 나타내기 　문제 해결

1 ▲와 ★의 비를 간단한 자연수의 비로 나타내어 보세요.

$$3.5 : 1\frac{1}{2} = ▲ : 0.6$$ 　　 $$5 : 8 = ★ : 2.4$$

❶ ▲에 알맞은 수를 구해 보세요. 　　(**1.4**)

❖ $1\frac{1}{2} = 1.5$입니다.

$3.5 : 1.5 = ▲ : 0.6$, $1.5 × ▲ = 3.5 × 0.6$,

$1.5 × ▲ = 2.1$, $▲ = 1.4$

❷ ★에 알맞은 수를 구해 보세요. 　　(**1.5**)

❖ $5 : 8 = ★ : 2.4$, $8 × ★ = 5 × 2.4$, $8 × ★ = 12$, $★ = 1.5$

❸ ▲와 ★의 비를 써 보세요. 　　(**1.4 : 1.5**)

❹ ▲와 ★의 비를 간단한 자연수의 비로 나타내어 보세요.
　　(예 **14 : 15**)

❖ 1.4 : 1.5의 전항과 후항에 10을 곱하면 14 : 15입니다.

---

2 ♥와 ◉의 비를 간단한 자연수의 비로 나타내어 보세요.

$$0.5 : ♥ = 15 : 21$$ 　　 $$\frac{1}{2} : \frac{1}{7} = 14 : ◉$$

(예 **7 : 40**)

❖ $0.5 : ♥ = 15 : 21$, $♥ × 15 = 0.5 × 21$, $♥ × 15 = 10.5$, $♥ = 0.7$

$\frac{1}{2} : \frac{1}{7} = 14 : ◉$, $\frac{1}{2} × ◉ = \frac{1}{7} × 14$, $\frac{1}{2} × ◉ = 2$, $◉ = 4$

➡ 0.7 : 4의 전항과 후항에 10을 곱하면 7 : 40입니다.

3 ★와 ◆의 비를 간단한 자연수의 비로 나타내어 보세요.

$$1.5 : ★ = 30 : 16$$ 　　 $$21 : 40 = \frac{7}{10} : ◆$$

(예 **3 : 5**)

❖ $1.5 : ★ = 30 : 16$, $★ × 30 = 1.5 × 16$, $★ × 30 = 24$, $★ = \frac{24}{30} = \frac{4}{5}$

$21 : 40 = \frac{7}{10} : ◆$, $21 × ◆ = 40 × \frac{7}{10}$, $21 × ◆ = 28$, $◆ = \frac{28}{21} = \frac{4}{3}$

$\frac{4}{5} : \frac{4}{3}$ ➡ 12 : 20 ➡ 3 : 5

4 ㉮와 ㉯의 비를 간단한 자연수의 비로 나타내어 보세요.

（㉮ : 0.3은 6 : 9와 비율이 같아. 현서）　（1.6 : ㉯는 4 : 2와 비율이 같아. 은주）

(예 **1 : 4**)

❖ ㉮ : $0.3 = 6 : 9$, $㉮ × 9 = 0.3 × 6$, $㉮ × 9 = 1.8$, $㉮ = 0.2$

$1.6 : ㉯ = 4 : 2$, $㉯ × 4 = 1.6 × 2$, $㉯ × 4 = 3.2$, $㉯ = 0.8$

㉮ : ㉯ $= 0.2 : 0.8$ ➡ 2 : 8 ➡ 1 : 4

4 단원

유형 ⑤ 이익금 나누기 　문제 해결

1 서희와 준우가 각각 돈을 투자하여 얻은 이익금을 투자한 금액의 비로 나누어 가졌습니다. 서희가 가져간 이익금이 24만 원이라면 두 사람이 얻은 총 이익금은 얼마인지 구해 보세요.

（난 120만 원을 투자했어. 서희）　（난 150만 원을 투자했어. 준우）

❶ 서희와 준우가 투자한 금액의 비를 써 보세요.
　　(120만 : 150만)

❷ 서희와 준우가 투자한 금액의 비를 간단한 자연수의 비로 나타내어 보세요. 　　(예 **4 : 5**)

❖ $120만 : 150만 = 4 : 5$
（÷30만）

❸ 서희가 총 이익금의 얼만큼을 가졌는지 기약분수로 나타내어 보세요. 　　$\frac{4}{9}$

❖ $\frac{4}{4+5} = \frac{4}{9}$

❹ 두 사람이 얻은 총 이익금은 얼마인지 구해 보세요.
　　(**54만 원**)

❖ 총 이익금을 □만 원이라 하면 $□ × \frac{4}{9} = 24$, $□ = 54$입니다.

---

2 혜미와 선영이가 각각 100만 원, 160만 원을 투자하여 얻은 이익금을 투자한 금액의 비로 나누어 가졌습니다. 선영이가 가져간 이익금이 48만 원이라면 두 사람이 얻은 총 이익금은 얼마인지 구해 보세요.

(**78만 원**)

❖ 혜미와 선영이가 투자한 금액의 비를 간단한 자연수의 비로 나타내면 (혜미) : (선영) $= 100만 : 160만$ ➡ 5 : 8입니다.
총 이익금을 □만 원이라 하면
$□ × \frac{8}{5+8} = 48$, $□ × \frac{8}{13} = 48$, $□ = 78$입니다.

3 소연이와 윤아가 각각 36만 원, 60만 원을 투자하여 얻은 이익금을 투자한 금액의 비로 나누어 가졌습니다. 소연이가 가져간 이익금이 12만 원이라면 두 사람이 얻은 총 이익금은 얼마인지 구해 보세요.

(**32만 원**)

❖ 소연이와 윤아가 투자한 금액의 비를 간단한 자연수의 비로 나타내면 (소연) : (윤아) $= 36만 : 60만$ ➡ 3 : 5입니다.
총 이익금을 □만 원이라 하면
$□ × \frac{3}{3+5} = 12$, $□ × \frac{3}{8} = 12$, $□ = 32$입니다.

4 언니가 350만 원, 동생이 150만 원을 투자하여 이익금으로 70만 원을 얻었습니다. 이익금을 투자한 금액의 비로 나눌 때 언니와 동생이 갖는 이익금을 각각 구해 보세요.

언니 (**49만 원**)
동생 (**21만 원**)

❖ 언니와 동생이 투자한 금액의 비를 간단한 자연수의 비로 나타내면 (언니) : (동생) $= 350만 : 150만$ ➡ 7 : 3입니다.

(언니가 갖는 이익금) $= 70 × \frac{7}{7+3} = 49$(만 원),

(동생이 갖는 이익금) $= 70 × \frac{3}{7+3} = 21$(만 원)

4 단원

유형 6 지도에서 실제 거리 구하기 창의·융합

정답과 풀이 18쪽

1 수지는 할머니 댁에 가려고 합니다. 축척이 1 : 20000인 지도를 보고 집에서 출발하여 놀이터를 거쳐 가는 것과 병원을 거쳐 가는 경우 중 어느 곳을 거쳐 가는 길이 몇 km 더 가까운지 구해 보세요.

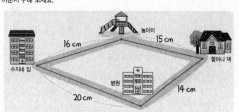

① 집에서 놀이터를 거쳐 가는 길과 병원을 거쳐 가는 길의 지도상에서 거리의 차는 몇 cm 인지 구해 보세요.

(**3 cm**)

✦ (집에서 놀이터를 거쳐 가는 길의 거리)=16+15=31 (cm)
(집에서 병원을 거쳐 가는 길의 거리)=20+14=34 (cm)
➡ 34-31=3 (cm)

② 실제 거리의 차는 몇 km인지 구해 보세요.

(**0.6 km**)

✦ 실제 거리를 □ cm라 하고 비례식을 세우면 1 : 20000=3 : □입니다.
□=20000×3=60000
➡ 60000 cm=600 m=0.6 km

③ 어느 곳을 거쳐 가는 길이 몇 km 더 가까운지 구해 보세요.
(**놀이터**), (**0.6 km**)

2 다음은 축척이 1 : 50000인 지도입니다. 우체국에서 출발하여 병원을 거쳐 집까지 가는 실제 거리는 몇 km인지 구해 보세요.

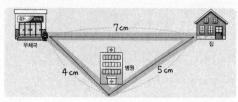

(**4.5 km**)

✦ (우체국에서 병원을 거쳐 집을 가는 거리)=4+5=9 (cm)
실제 거리를 □ cm라 하고 비례식을 세우면 1 : 50000=9 : □입니다.
□=50000×9=450000
➡ 450000 cm=4500 m=4.5 km

3 다음은 축척이 1 : 5000인 지도입니다. 학교에서 집으로 바로 가는 길은 우체국을 거쳐 가는 길보다 몇 km 더 가까운지 구해 보세요.

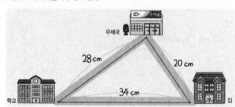

(**0.7 km**)

✦ (학교에서 우체국을 거쳐 집에 가는 길의 거리)=28+20=48 (cm)
➡ 48-34=14 (cm)
실제 거리를 □ cm라 하고 비례식을 세우면 1 : 5000=14 : □입니다.
□=5000×14=70000
➡ 70000 cm=700 m=0.7 km

4 단원

사고력 종합 평가

정답과 풀이 18쪽

1 3 : 7과 비율이 같고 전항이 15보다 작은 자연수의 비는 몇 개인지 구해 보세요.

(**3개**)

✦ 3 : 7과 비율이 같은 비를 구해 봅니다.
6 : 14, 9 : 21, 12 : 28, 15 : 35……
전항이 15보다 작은 자연수의 비는 6 : 14, 9 : 21, 12 : 28로 3개입니다.

2 비율이 $\frac{5}{9}$이고 후항이 27인 비가 있습니다. 전항은 얼마인지 구해 보세요.

(**15**)

✦ 전항을 □라 하면 □ : 27이므로 비율은 $\frac{□}{27}$입니다.
$\frac{□}{27}=\frac{5}{9}$ ➡ $\frac{5×3}{9×3}=\frac{□}{27}$이므로 □=5×3=15입니다.

3 강호와 민기의 몸무게의 비를 간단한 자연수의 비로 나타내어 보세요.

내 몸무게는 45.2 kg이야.
강호

난 너보다 1.8 kg 가볍지.
민기

(예 **226 : 217**)

✦ (민기의 몸무게)=45.2-1.8=43.4 (kg)
45.2 : 43.4 ➡ (45.2×10) : (43.4×10) ➡ 452 : 434
➡ 226 : 217

4 같은 일을 하는 데 현수는 5시간, 승기는 6시간 걸립니다. 현수와 승기가 1시간 동안 한 일의 양의 비를 간단한 자연수의 비로 나타내어 보세요.

(예 **6 : 5**)

✦ 전체 일의 양을 1이라고 하면 1시간 동안 한 일의 양은 현수는
$1÷5=\frac{1}{5}$, 승기는 $1÷6=\frac{1}{6}$입니다.
(현수가 1시간 동안 한 일의 양) : (승기가 1시간 동안 한 일의 양)
$=\frac{1}{5} : \frac{1}{6}$ ➡ $\left(\frac{1}{5}×30\right) : \left(\frac{1}{6}×30\right)$ ➡ 6 : 5

5 직사각형 가와 나의 세로는 같습니다. 직사각형 가와 나의 넓이의 합이 224 cm²입니다. 직사각형 가의 넓이를 구해 보세요.

16 cm   12 cm

(**128 cm²**)

✦ 직사각형의 세로가 같으므로 넓이의 비는 가로의 비와 같습니다.
(직사각형 가의 넓이) : (직사각형 나의 넓이)=16 : 12 ➡ 4 : 3
(직사각형 가의 넓이)$=224×\frac{4}{4+3}=224×\frac{4}{7}$ ➡ 128 (cm²)

6 바닷물 4 L를 증발시켜 36 g의 소금을 얻을 수 있습니다. 대야에 있던 바닷물을 증발시켜 90 g의 소금을 얻었습니다. 대야에 있던 바닷물은 몇 L인지 구해 보세요.

(**10 L**)

✦ 대야에 있던 바닷물을 □ L라 하고 비례식을 세우면
4 : 36=□ : 90입니다.
□×36=90×4, □×36=360, □=10

4 단원

정답과 풀이 19쪽

7 두 대각선의 길이의 비가 4 : 3인 마름모가 있습니다. 이 마름모의 짧은 대각선의 길이가 12 cm라면 마름모의 넓이는 몇 cm²인지 구해 보세요.

(**96 cm²**)

❖ 마름모의 긴 대각선의 길이를 □cm라 하고 비례식을 세우면
4 : 3＝□ : 12입니다.
$3 × □ = 4 × 12, 3 × □ = 48, □ = 16$
➡ (마름모의 넓이)＝$12 × 16 ÷ 2 = 96 \,(\text{cm}^2)$

8 가은이가 일주일 동안 일을 해서 번 돈은 45500원입니다. 4일 동안 일을 한다면 얼마를 벌 수 있는지 구해 보세요.

(**26000원**)

❖ 일주일은 7일입니다.
4일 동안 일을 할 때 버는 돈을 □원이라 하고 비례식을 세우면
7 : 45500＝4 : □입니다.
$7 × □ = 45500 × 4, 7 × □ = 182000, □ = 26000$

9 ♥와 ◆의 비를 간단한 자연수의 비로 나타내어 보세요.

| 7 : 5＝28 : ♥ | | 1.2 : 1$\frac{4}{5}$＝◆ : 6 |

(예 **5 : 1**)

❖ 7 : 5＝28 : ♥, $7 × ♥ = 5 × 28, 7 × ♥ = 140, ♥ = 20$
$1\frac{4}{5} = 1.8$입니다.

1.2 : 1.8＝◆ : 6, $1.8 × ◆ = 1.2 × 6, 1.8 × ◆ = 7.2, ◆ = 4$
♥ : ◆＝20 : 4 ➡ 5 : 1

74 · Jump 6-2

10 올해 삼촌의 나이는 30살이고 영주의 나이와 삼촌의 나이의 비는 2 : 5입니다. 4년 후 영주와 삼촌의 나이의 비를 간단한 자연수의 비로 나타내어 보세요.

(예 **8 : 17**)

❖ 영주의 올해 나이를 □살이라 하고 비례식을 세우면
2 : 5＝□ : 30, $5 × □ = 2 × 30, 5 × □ = 60, □ = 12$입니다.
4년 후 삼촌의 나이는 34살이고, 올해 영주의 나이는 12살이므로
4년 후 영주의 나이는 16살이 됩니다.
16 : 34 ➡ 8 : 17

11 다음 그림과 같이 원 ㉮와 삼각형 ㉯가 겹쳐져 있습니다. 겹쳐진 부분의 넓이는 ㉮의 넓이의 $\frac{3}{7}$, ㉯의 넓이의 $\frac{1}{4}$입니다. ㉮와 ㉯의 넓이의 비를 간단한 자연수의 비로 나타내어 보세요.

(예 **7 : 12**)

❖ $㉮ × \frac{3}{7} = ㉯ × \frac{1}{4}$ ➡ $㉮ : ㉯ = \frac{1}{4} : \frac{3}{7}$

$\frac{1}{4} : \frac{3}{7}$의 전항과 후항에 분모의 공배수인 28을 곱하면 7 : 12가 됩니다.

12 길이가 9 m인 색 테이프를 진영이와 예서가 8 : 7의 비로 나누어 가졌습니다. 두 사람이 가진 색 테이프 중에서 누구의 색 테이프가 몇 cm 더 긴지 구해 보세요.

(**진영**), (**60 cm**)

❖ 9 m＝900 cm
(진영)＝$900 × \frac{8}{8+7} = 900 × \frac{8}{15} = 480 \,(\text{cm})$,
(예서)＝$900 × \frac{7}{8+7} = 900 × \frac{7}{15} = 420 \,(\text{cm})$
➡ 진영이가 예서보다 480－420＝60 (cm) 더 깁니다.

4. 비례식과 비례배분 · 75

정답과 풀이 19쪽

13 축척이 1 : 25000인 지도에서 학교에서 마트까지 거리를 자로 재었더니 9 cm일 때 실제 거리는 몇 km인지 구해 보세요.

(**2.25 km**)

❖ 실제 거리를 □cm라 하고 비례식을 세우면
1 : 25000＝9 : □입니다.
□＝$25000 × 9 = 225000$
➡ 225000 cm＝2250 m＝2.25 km

14 승철이와 지윤이가 각각 140만 원, 200만 원을 투자하여 얻은 이익금을 투자한 금액의 비로 나누어 가졌습니다. 승철이가 얻은 이익금이 63만 원이라면 두 사람이 얻은 총 이익금은 얼마인지 구해 보세요.

(**153만 원**)

❖ 승철이와 지윤이가 투자한 금액의 비를 간단한 자연수의 비로 나타내면 (승철) : (지윤)＝140만 : 200만 ➡ 7 : 10입니다.
총 이익금을 □만 원이라 하면
$□ × \frac{7}{7+10} = 63, □ × \frac{7}{17} = 63, □ = 153$입니다.

15 액자는 가로와 세로의 비가 5 : 4인 직사각형입니다. 액자의 둘레가 324 cm일 때 이 액자의 넓이를 구해 보세요.

(**6480 cm²**)

❖ (가로)＋(세로)＝324 ÷ 2 = 162 (cm)
가로: $162 × \frac{5}{5+4} = 162 × \frac{5}{9} = 90 \,(\text{cm})$
세로: $162 × \frac{4}{5+4} = 162 × \frac{4}{9} = 72 \,(\text{cm})$
➡ (액자의 넓이)＝$90 × 72 = 6480 \,(\text{cm}^2)$

76 · Jump 6-2

[GO! 매쓰]
여기까지 4단원 내용입니다.
다음부터는 5단원 내용이 시작합니다.

정답과 풀이 · **19**

GO! 매쓰 Jump 정답

정답과 풀이 20쪽

유형 ① 남은 부분의 넓이 구하기 〔문제 해결〕

1 원주가 48 cm인 원 모양의 피자를 똑같이 나누어 먹었습니다. 남은 피자의 넓이는 몇 cm² 인지 구해 보세요. (원주율: 3)

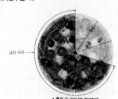

▲ 출처 ⓒvitals/shutterstock

❶ 피자의 반지름은 몇 cm인지 구해 보세요.

(**8 cm**)

❖ (피자의 반지름)=(원주)÷(원주율)÷2
=48÷3÷2=8 (cm)

❷ 피자 전체의 넓이는 몇 cm²인지 구해 보세요.

(**192 cm²**)

❖ (피자 전체의 넓이)=(반지름)×(반지름)×(원주율)
=8×8×3=192 (cm²)

❸ 남은 피자는 전체 피자의 몇 분의 몇인지 분수로 나타내어 보세요.

(**7/10**)

❖ 남은 피자는 전체를 똑같이 10으로 나눈 것 중 7이므로 $\frac{7}{10}$입니다.

❹ 남은 피자의 넓이는 몇 cm²인지 구해 보세요.

(**134.4 cm²**)

78 · Jump 6-2   ❖ (남은 피자의 넓이)=192×$\frac{7}{10}$=134.4 (cm²)입니다.

2 원주가 72 cm인 원 모양의 피자를 똑같이 나누어 먹었습니다. 남은 피자의 넓이는 몇 cm²인지 구해 보세요. (원주율: 3)

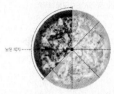

(**162 cm²**)

❖ (피자의 반지름)=72÷3÷2=12 (cm)
(피자 전체의 넓이)=12×12×3=432 (cm²)

남은 피자는 전체를 똑같이 8로 나눈 것 중 3이므로 $\frac{3}{8}$입니다.

따라서 남은 피자의 넓이는 432×$\frac{3}{8}$=162 (cm²)입니다.

3 반지름이 10 cm인 원 모양의 피자를 똑같이 나누어 먹었습니다. 남은 피자의 넓이는 몇 cm²인지 구해 보세요. (원주율: 3.14)

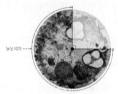

(**235.5 cm²**)

❖ (피자 전체의 넓이)=10×10×3.14=314 (cm²)
90°는 360°의 $\frac{90}{360}$=$\frac{1}{4}$이므로 남은 피자는 피자 전체의
1-$\frac{1}{4}$=$\frac{3}{4}$입니다.

따라서 남은 피자의 넓이는 314×$\frac{3}{4}$=235.5 (cm²)입니다.

5. 원의 넓이 · 79

5 단원

정답과 풀이 20쪽

유형 ② 색칠한 부분의 둘레 구하기 〔문제 해결〕

1 색칠한 부분의 둘레는 몇 cm인지 구해 보세요. (원주율: 3)

❶ 큰 원의 지름은 몇 cm인지 구해 보세요.

(**22 cm**)

❖ 16+6=22 (cm)

❷ 큰 원의 원주는 몇 cm인지 구해 보세요.

(**66 cm**)

❖ 22×3=66 (cm)

❸ 작은 원의 원주는 몇 cm인지 구해 보세요.

(**48 cm**)

❖ 작은 원의 지름은 16 cm이므로 원주는 16×3=48 (cm) 입니다.

❹ 색칠한 부분의 둘레는 몇 cm인지 구해 보세요.

(**114 cm**)

❖ (색칠한 부분의 둘레)=(큰 원의 원주)+(작은 원의 원주)

80 · Jump 6-2   =66+48=114 (cm)

2 색칠한 부분의 둘레는 몇 cm인지 구해 보세요. (원주율: 3.1)

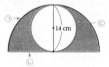

(**114.8 cm**)

❖ ㉠=14×2×3.1÷2=43.4 (cm),
㉡=14×2=28 (cm), ㉢=14×3.1=43.4 (cm)
➡ (색칠한 부분의 둘레)=㉠+㉡+㉢
=43.4+28+43.4=114.8 (cm)

3 색칠한 부분의 둘레는 몇 cm인지 구해 보세요. (원주율: 3.14)

(**39.4 cm**)

❖ ㉠=12×2×3.14÷4=18.84 (cm),
㉡=8×2×3.14÷4=12.56 (cm),
㉢=(12-8)×2=8 (cm)
➡ (색칠한 부분의 둘레)=㉠+㉡+㉢
=18.84+12.56+8=39.4 (cm)

5. 원의 넓이 · 81

5 단원

정답과 풀이 21쪽

유형 ③ 거리 구하기　　창의·융합

1 지애는 원 모양의 바퀴 자를 사용하여 집에서 학교까지의 거리를 알아보려고 합니다. 다음을 보고 집에서 학교까지의 거리는 몇 m인지 구해 보세요. (원주율: 3)

❶ 바퀴 자가 한 바퀴 돈 거리는 몇 cm인지 구해 보세요.

(**90 cm**)

❖ 바퀴 자가 한 바퀴 돈 거리는 바퀴 자의 원주와 같습니다.
　➜ $30 \times 3 = 90$ (cm)

❷ 바퀴 자가 150바퀴 돈 거리는 몇 cm인지 구해 보세요.

(**13500 cm**)

❖ (바퀴 자가 150바퀴 돈 거리)＝(바퀴 자가 한 바퀴 돈 거리)×150
　　　　　　　　　　　　　　　＝$90 \times 150 = 13500$ (cm)

❸ 100 cm는 몇 m일까요?

(**1 m**)

❖ 100 cm＝1 m

❹ 집에서 학교까지의 거리는 몇 m인지 구해 보세요.

(**135 m**)

❖ 13500 cm＝135 m

82 · Jump 6-2

2 지름이 40 cm인 원 모양의 바퀴 자를 사용하여 집에서 도서관까지의 거리를 알아보려고 합니다. 바퀴 자가 200바퀴 돌았다면 집에서 도서관까지의 거리는 몇 m인지 구해 보세요. (원주율: 3.1)

(**248 m**)

❖ (바퀴 자가 한 바퀴 돈 거리)＝$40 \times 3.1 = 124$ (cm)
　(바퀴 자가 200바퀴 돈 거리)＝$124 \times 200 = 24800$ (cm)
　➜ 100 cm＝1 m이므로 24800 cm＝248 m입니다.

3 영호는 원 모양의 바퀴 자를 사용하여 집에서 우체국까지의 거리를 알아보았습니다. 다음을 보고 바퀴 자는 몇 바퀴 돈 것인지 구해 보세요. (원주율: 3.14)

(**300바퀴**)

❖ (바퀴 자가 한 바퀴 돈 거리)＝$50 \times 3.14 = 157$ (cm)
　1 m＝100 cm이므로 471 m＝47100 cm입니다.
　따라서 바퀴 자는 $47100 \div 157 = 300$(바퀴) 돈 것입니다.

4 원 모양의 바퀴 자가 500바퀴 굴러간 거리가 675 m입니다. 이 바퀴 자의 지름은 몇 cm인지 구해 보세요. (원주율: 3)

(**45 cm**)

❖ 1 m＝100 cm이므로 675 m＝67500 cm입니다.
　(바퀴 자가 한 바퀴 돈 거리)＝$67500 \div 500 = 135$ (cm)
　따라서 바퀴 자의 지름은 $135 \div 3 = 45$ (cm)입니다.

5. 원의 넓이 · 83

정답과 풀이 21쪽

유형 ④ 색칠한 부분의 넓이 구하기　　문제 해결

1 색칠한 부분의 넓이는 몇 cm²인지 구해 보세요. (원주율: 3)

❶ 가장 큰 원의 넓이는 몇 cm²인지 구해 보세요.

(**432 cm²**)

❖ 가장 큰 원의 반지름은 $(14+10) \div 2 = 12$ (cm)이므로
　$12 \times 12 \times 3 = 432$ (cm²)입니다.

❷ 중간 원의 넓이는 몇 cm²인지 구해 보세요.

(**147 cm²**)

❖ 중간 원의 반지름은 $14 \div 2 = 7$ (cm)이므로
　$7 \times 7 \times 3 = 147$ (cm²)입니다.

❸ 가장 작은 원의 넓이는 몇 cm²인지 구해 보세요.

(**75 cm²**)

❖ 가장 작은 원의 반지름은 $10 \div 2 = 5$ (cm)이므로
　$5 \times 5 \times 3 = 75$ (cm²)입니다.

❹ 색칠한 부분의 넓이는 몇 cm²인지 구해 보세요.

(**210 cm²**)

❖ (색칠한 부분의 넓이)
84 · Jump 6-2　＝(가장 큰 원의 넓이)－(중간 원의 넓이)－(가장 작은 원의 넓이)
　　　　　　　＝$432 - 147 - 75 = 210$ (cm²)

2 색칠한 부분의 넓이는 몇 cm²인지 구해 보세요. (원주율: 3.1)

(**178.2 cm²**)

❖ 반원의 반지름은 $36 \div 2 = 18$ (cm)이므로 반원의 넓이는
　$18 \times 18 \times 3.1 \div 2 = 502.2$ (cm²)입니다.
　삼각형의 밑변의 길이는 36 cm, 높이는 18 cm이므로 삼각형의 넓이는 $36 \times 18 \div 2 = 324$ (cm²)입니다.
　➜ (색칠한 부분의 넓이)＝(반원의 넓이)－(삼각형의 넓이)
　　　　　　　　　　　　＝$502.2 - 324 = 178.2$ (cm²)

3 색칠한 부분의 넓이는 몇 cm²인지 구해 보세요. (원주율: 3.14)

(**328.32 cm²**)

❖ (색칠한 부분의 넓이의 반)
　＝$24 \times 24 \times 3.14 \div 4 - 24 \times 24 \div 2$
　＝$452.16 - 288 = 164.16$ (cm²)
　(색칠한 부분의 넓이)＝$164.16 \times 2 = 328.32$ (cm²)

5. 원의 넓이 · 85

유형 5 · 사용한 끈의 길이 구하기 〔문제 해결〕

정답과 풀이 22쪽

1 크기가 같은 원 모양의 음료수 캔 4개를 그림과 같이 끈으로 한 번 묶었습니다. 매듭의 길이는 생각하지 않을 때, 사용한 끈의 길이는 몇 cm인지 구해 보세요. (원주율: 3)

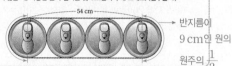

→ 반지름이 9 cm인 원의 원주의 $\frac{1}{2}$

① 음료수 캔의 반지름은 몇 cm인지 구해 보세요.

(**9 cm**)

❖ 54÷6=9(cm)

② 곡선 부분의 길이의 합은 몇 cm인지 구해 보세요.

(**54 cm**)

❖ (곡선 부분의 길이의 합)=(반지름이 9 cm인 원의 원주)
=9×2×3=54(cm)

③ 직선 부분의 길이의 합은 몇 cm인지 구해 보세요.

(**108 cm**)

❖ 54×2=108(cm)

④ 사용한 끈의 길이는 몇 cm인지 구해 보세요.

(**162 cm**)

❖ 54+108=162(cm)

86 · Jump 6-2

2 크기가 같은 원 모양의 음료수 캔 8개를 그림과 같이 끈으로 한 번 묶었습니다. 매듭의 길이는 생각하지 않을 때, 사용한 끈의 길이는 몇 cm인지 구해 보세요. (원주율: 3.1)

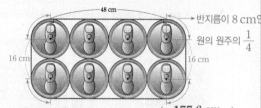

반지름이 8 cm인 원의 원주의 $\frac{1}{4}$

(**177.6 cm**)

❖ (음료수 캔의 반지름)=48÷6=8(cm)
(곡선 부분의 길이의 합)=(반지름이 8 cm인 원의 원주)
=8×2×3.1=49.6(cm)
(직선 부분의 길이의 합)=48×2+16×2
=96+32=128(cm)
→ 49.6+128=177.6(cm)

3 크기가 같은 원 모양의 음료수 캔 3개를 그림과 같이 끈으로 한 번 묶었습니다. 매듭으로 사용한 끈의 길이가 10 cm일 때, 사용한 끈의 길이는 몇 cm인지 구해 보세요. (원주율: 3.14)

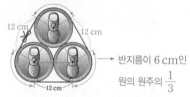

반지름이 6 cm인 원의 원주의 $\frac{1}{3}$

(**83.68 cm**)

❖ (음료수 캔의 반지름)=12÷2=6(cm)
(곡선 부분의 길이의 합)=(반지름이 6 cm인 원의 원주)
=6×2×3.14=37.68(cm)
(직선 부분의 길이의 합)=12×3=36(cm)
→ 37.68+36+10=83.68(cm)

5. 원의 넓이 · 87

5 단원

유형 6 · 알맞게 색칠하기 〔추론〕

정답과 풀이 22쪽

1 지름이 5 cm인 원판을 시계 방향으로 굴린 거리가 82.5 cm입니다. 빈 곳에 알맞게 색칠해 보세요. (단, 원판이 1바퀴 굴러간 것은 시계 방향으로 360°만큼 돈 것입니다.) (원주율: 3)

① 원판이 1바퀴 굴러간 거리는 몇 cm인지 구해 보세요.

(**15 cm**)

❖ (원판이 1바퀴 굴러간 거리)=(원판의 원주)
=5×3=15(cm)

② 원판은 몇 바퀴 굴러간 것인지 구해 보세요.

(**5.5바퀴**)

❖ 82.5÷15=5.5(바퀴)

③ 알맞은 말에 ○표 하세요.

원판은 1바퀴, 2바퀴, 3바퀴…… 굴러갈 때마다 처음과 (같아집니다, 달라집니다).

❖ 도형을 시계 방향으로 360°만큼 돌리면 처음과 같아지므로 원판은 1바퀴, 2바퀴, 3바퀴…… 굴러갈 때마다 처음과 같아집니다.

④ 빈 곳에 알맞게 색칠해 보세요.

❖ 원판이 1바퀴, 2바퀴, 3바퀴…… 굴러갈 때마다 처음과 같아지므로 5.5바퀴 굴러간 것은 0.5바퀴 굴러간 것과 같습니다. 원판이 0.5바퀴 굴러간 것은 360°×0.5=180°만큼 돈 것과 같으므로 원판을 시계 방향으로 180°만큼 돌렸을 때와 같게 색칠합니다.

88 · Jump 6-2

2 지름이 8 cm인 원판을 시계 방향으로 굴린 거리가 179.8 cm입니다. 빈 곳에 알맞게 색칠해 보세요. (단, 원판이 1바퀴 굴러간 것은 시계 방향으로 360°만큼 돈 것입니다.) (원주율: 3.1)

파란색 — 노란색
초록색 — 빨간색

179.8 cm

❖ (원판이 1바퀴 굴러간 거리)=8×3.1=24.8(cm)
(원판이 굴러간 바퀴 수)=179.8÷24.8=7.25(바퀴)
원판이 1바퀴, 2바퀴, 3바퀴…… 굴러갈 때마다 처음과 같아지므로 7.25바퀴 굴러간 것은 0.25바퀴 굴러간 것과 같습니다.
원판이 0.25바퀴 굴러간 것은 360°×0.25=90°만큼 돈 것과 같으므로 원판을 시계 방향으로 90°만큼 돌렸을 때와 같게 색칠합니다.

3 지름이 10 cm인 원판을 시계 방향으로 굴린 거리가 274.75 cm입니다. 빈 곳에 알맞게 색칠해 보세요. (단, 원판이 1바퀴 굴러간 것은 시계 방향으로 360°만큼 돈 것입니다.) (원주율: 3.14)

빨간색 — 초록색
노란색 — 파란색

274.75 cm

❖ (원판이 1바퀴 굴러간 거리)=10×3.14=31.4(cm)
(원판이 굴러간 바퀴 수)=274.75÷31.4=8.75(바퀴)
원판이 1바퀴, 2바퀴, 3바퀴…… 굴러갈 때마다 처음과 같아지므로 8.75바퀴 굴러간 것은 0.75바퀴 굴러간 것과 같습니다.
원판이 0.75바퀴 굴러간 것은 360°×0.75=270°만큼 돈 것과 같으므로 원판을 시계 방향으로 270°만큼 돌렸을 때와 같게 색칠합니다.

5. 원의 넓이 · 89

5 단원

사고력 종합 평가

1 오른쪽과 같이 컴퍼스를 벌려서 원을 그렸습니다. 그린 원의 원주를 구해 보세요. (원주율: 3)

(**24 cm**)

❖ (컴퍼스를 벌린 길이)＝(원의 반지름)＝4 cm
➡ 반지름이 4 cm인 원의 원주는 4×2×3＝24 (cm)입니다.

2 바깥쪽 지름이 35 cm인 굴렁쇠를 몇 바퀴 굴린 거리가 다음과 같습니다. 굴렁쇠를 몇 바퀴 굴린 것인지 구해 보세요. (원주율: 3)

1575 cm

(**15바퀴**)

❖ (굴렁쇠가 한 바퀴 돈 거리)＝35×3＝105 (cm)
따라서 굴렁쇠를 1575÷105＝15(바퀴) 굴린 것입니다.

3 근우는 부채를 보고 다음과 같이 원의 일부분을 그렸습니다. 근우가 그린 도형의 넓이는 몇 cm² 인지 구해 보세요. (원주율: 3)

120° 10 cm

(**100 cm²**)

❖ 120°는 360°의 $\dfrac{120}{360}=\dfrac{1}{3}$이므로 원의 넓이의 $\dfrac{1}{3}$을 구합니다.

따라서 도형의 넓이는 $10×10×3×\dfrac{1}{3}=100\,(\text{cm}^2)$입니다.

90 · Jump 6-2

4 색칠한 부분의 둘레를 구해 보세요. (원주율: 3)

15 cm
6 cm

(**126 cm**)

❖ (큰 원의 원주)＝15×2×3＝90 (cm),
(작은 원의 원주)＝6×2×3＝36 (cm)
➡ (색칠한 부분의 둘레)＝(큰 원의 원주)＋(작은 원의 원주)
＝90＋36＝126 (cm)

5 다음과 같은 모양의 운동장의 넓이는 몇 m²인지 구해 보세요. (원주율: 3)

120 m
360 m

(**54000 m²**)

❖ (원의 반지름)＝120÷2＝60 (m),
(원의 넓이)＝60×60×3＝10800 (m²),
(직사각형의 넓이)＝360×120＝43200 (m²)
따라서 운동장의 넓이는 10800＋43200＝54000 (m²)입니다.

6 직사각형과 원의 넓이가 같습니다. 원의 원주는 몇 cm인지 구해 보세요. (원주율: 3)

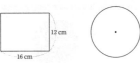

12 cm
16 cm

(**48 cm**)

❖ (직사각형의 넓이)＝16×12＝192 (cm²)
원의 반지름을 □ cm라 하면 □×□×3＝192이므로
□×□＝64, 8×8＝64, □＝8입니다.
따라서 원의 원주는 8×2×3＝48 (cm)입니다.

5. 원의 넓이 · 91

사고력 종합 평가

7 원주가 84 cm인 원 모양의 피자를 똑같이 나누어 먹었습니다. 남은 피자의 넓이는 몇 cm²인지 구해 보세요. (원주율: 3)

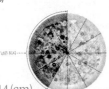

남은 피자

(**245 cm²**)

❖ (피자의 반지름)
＝84÷3÷2＝14 (cm)
(피자 전체의 넓이)＝14×14×3＝588 (cm²)

남은 피자는 전체를 똑같이 12로 나눈 것 중 5이므로 $\dfrac{5}{12}$입니다.

따라서 남은 피자의 넓이는 $588×\dfrac{5}{12}=245\,(\text{cm}^2)$입니다.

8 지름이 42 cm인 원 모양의 바퀴 자를 사용하여 집에서 경찰서까지의 거리를 알아보려고 합니다. 바퀴 자가 150바퀴 돌았다면 집에서 경찰서까지의 거리는 몇 m인지 구해 보세요. (원주율: 3)

(**189 m**)

❖ (바퀴 자가 한 바퀴 돈 거리)＝42×3＝126 (cm)
(바퀴 자가 150바퀴 돈 거리)＝126×150＝18900 (cm)
➡ 100 cm＝1 m이므로 18900 cm＝189 m입니다.

9 사다리꼴의 넓이가 130 cm²일 때 색칠한 부분의 넓이는 몇 cm²인지 구해 보세요. (원주율: 3)

8 cm
18 cm

(**55 cm²**)

❖ 사다리꼴의 높이를 □ cm라 하면 (8＋18)×□÷2＝130이므로
26×□＝130×2, □＝260÷26＝10입니다.
(원의 반지름)＝10÷2＝5 (cm), (원의 넓이)＝5×5×3＝75 (cm²)
(색칠한 부분의 넓이)＝130－75 ＝55 (cm²)

92 · Jump 6-2

10 두 원을 이어 붙여서 만든 도형입니다. 도형의 둘레는 몇 cm인지 구해 보세요. (원주율: 3)

9 cm
30 cm

(**90 cm**)

❖ (큰 원의 원주)＝9×2×3＝54 (cm),
(작은 원의 지름)＝30－9×2＝12 (cm),
(작은 원의 원주)＝12×3＝36 (cm)
➡ (도형의 둘레)＝(큰 원의 원주)＋(작은 원의 원주)
＝54＋36＝90 (cm)

11 원 모양의 호수 둘레에 6.28 m의 간격으로 의자가 50개 놓여 있습니다. 이 호수의 넓이는 몇 m²인지 구해 보세요. (단, 의자의 길이는 생각하지 않습니다.) (원주율: 3.14)

(**7850 m²**)

❖ (호수의 둘레)＝6.28×50＝314 (m),
(호수의 반지름)＝314÷3.14÷2＝50 (m)
➡ (호수의 넓이)＝50×50×3.14＝7850 (m²)

12 크기가 같은 원 모양의 음료수 캔 6개를 그림과 같이 끈으로 한 번 묶었습니다. 매듭의 길이는 생각하지 않을 때, 사용한 끈의 길이는 몇 cm인지 구해 보세요. (원주율: 3)

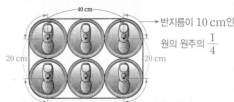

40 cm
20 cm   20 cm
반지름이 10 cm인
원의 원주의 $\dfrac{1}{4}$

(**180 cm**)

❖ (음료수 캔의 반지름)＝40÷4＝10 (cm)
(곡선 부분의 길이의 합)＝(반지름이 10 cm인 원의 원주)
＝10×2×3＝60 (cm)
(직선 부분의 길이의 합)＝40×2＋20×2＝80＋40＝120 (cm)
➡ 60＋120＝180 (cm)

5. 원의 넓이 · 93

🔍 사고력 종합 평가
정답과 풀이 24쪽

13 직사각형 모양의 색종이를 잘라 가장 큰 원을 만들었습니다. 원을 만들고 남은 색종이의 넓이는 몇 cm²인지 구해 보세요. (원주율: 3)

30 cm
50 cm

(**825 cm²**)

❖ 가장 큰 원의 지름은 직사각형의 세로와 같은 30 cm이고 반지름은 $30 \div 2 = 15$ (cm)입니다.
(원의 넓이)$= 15 \times 15 \times 3 = 675$ (cm²),
(직사각형의 넓이)$= 50 \times 30 = 1500$ (cm²)
따라서 남은 색종이의 넓이는 $1500 - 675 = 825$ (cm²)입니다.

14 지름이 12 cm인 원판을 시계 방향으로 굴린 거리가 333 cm입니다. 빈 곳에 알맞게 색칠해 보세요. (단, 원판이 1바퀴 굴러간 것은 시계 방향으로 360°만큼 돈 것입니다.) (원주율: 3)

초록색   빨간색 ─────── 초록색
빨간색 ─── 노랑색   노란색 ─────── 파란색
333 cm

❖ (원판이 1바퀴 굴러간 거리)$= 12 \times 3 = 36$ (cm)
(원판이 굴러간 바퀴 수)$= 333 \div 36 = 9.25$ (바퀴)
원판이 1바퀴, 2바퀴, 3바퀴…… 굴러갈 때마다 처음과 같아지므로 9.25바퀴 굴러간 것은 0.25바퀴 굴러간 것과 같습니다.
원판이 0.25바퀴 굴러간 것은 $360° \times 0.25 = 90°$만큼 돈 것과 같으므로 원판을 시계 방향으로 90°만큼 돌렸을 때와 같게 색칠합니다.

> [GO! 매쓰]
> 여기까지 5단원 내용입니다.
> 다음부터는 6단원 내용이
> 시작합니다.

15 태극기의 중앙에 있는 태극 문양입니다. 태극 문양의 지름은 태극기의 세로의 $\frac{1}{2}$입니다. 태극기의 세로가 32 cm일 때, 태극 문양 중 파란색 부분의 둘레는 몇 cm인지 구해 보세요. (원주율: 3)

(**48 cm**)

❖ (태극 문양의 지름)$= 32 \times \frac{1}{2} = 16$ (cm)

㉠$= 16 \times 3 \div 2 = 24$ (cm), ㉡$= (16 \div 2) \times 3 \div 2 = 12$ (cm),
㉢$= (16 \div 2) \times 3 \div 2 = 12$ (cm)
(태극 문양 중 파란색 부분의 둘레)$= ㉠ + ㉡ + ㉢ = 24 + 12 + 12 = 48$ (cm)

🎯 유형 **①**   **길이의 합과 차**   문제 해결
정답과 풀이 24쪽

1 한 변을 기준으로 직각삼각형 모양의 종이를 한 바퀴 돌려 얻은 두 입체도형의 밑면의 반지름의 차는 몇 cm인지 구해 보세요.

㉠ 13 cm / 5 cm / 12 cm   ㉡ 13 cm / 5 cm / 12 cm

① 알맞은 말에 ○표 하세요.

> 한 변을 기준으로 직각삼각형 모양의 종이를 한 바퀴 돌리면 (원기둥, **원뿔**)이 됩니다.

② ㉠에서 얻은 입체도형의 밑면의 반지름은 몇 cm인지 구해 보세요.

(**5 cm**)

❖ 밑면의 반지름이 5 cm인 원뿔이 됩니다.

③ ㉡에서 얻은 입체도형의 밑면의 반지름은 몇 cm인지 구해 보세요.

(**12 cm**)

❖ 밑면의 반지름이 12 cm인 원뿔이 됩니다.

④ 두 입체도형의 밑면의 반지름의 차는 몇 cm인지 구해 보세요.

(**7 cm**)

❖ $12 - 5 = 7$ (cm)

2 한 변을 기준으로 직각삼각형 모양의 종이를 한 바퀴 돌려 얻은 두 입체도형의 높이의 차는 몇 cm인지 구해 보세요.

㉠ 8 cm / 10 cm / 6 cm   ㉡ 8 cm / 6 cm / 10 cm

(**2 cm**)

❖ 한 변을 기준으로 직각삼각형 모양의 종이를 돌리면 원뿔이 됩니다.
㉠의 높이는 8 cm, ㉡의 높이는 6 cm입니다.
➡ $8 - 6 = 2$ (cm)

3 한 변을 기준으로 직사각형 모양의 종이를 한 바퀴 돌려 얻은 두 입체도형의 밑면의 지름의 합은 몇 cm인지 구해 보세요.

㉠ 9 cm / 4 cm   ㉡ 9 cm / 4 cm

(**26 cm**)

❖ 한 변을 기준으로 직사각형 모양의 종이를 돌리면 원기둥이 됩니다.
㉠의 밑면의 지름은 8 cm, ㉡의 밑면의 지름은 18 cm입니다.
➡ $8 + 18 = 26$ (cm)

4 한 변을 기준으로 직사각형과 직각삼각형 모양의 종이를 각각 한 바퀴 돌려 입체도형을 얻었습니다. 두 입체도형의 높이의 차는 몇 cm인지 구해 보세요.

13 cm / 4 cm   9 cm / 7 cm

(**4 cm**)

❖ 만들어지는 입체도형은 각각 원기둥과 원뿔입니다.
원기둥의 높이는 13 cm, 원뿔의 높이는 9 cm입니다.
➡ $13 - 9 = 4$ (cm)

6
단원

유형 ② 위, 앞, 옆에서 본 모양의 넓이 〔추론〕

1 현우는 미술 시간에 원기둥과 원뿔 모양을 이용해 집 모양을 만들었습니다. 집 모양을 앞에서 본 모양의 넓이를 구해 보세요.

❶ 원기둥 모양을 앞에서 본 모양을 써 보세요.

(**직사각형**)

❷ 원기둥 모양을 앞에서 본 모양의 넓이를 구해 보세요.

(**30 cm²**)

✤ (직사각형의 가로)$=3 \times 2 = 6$ (cm)
(직사각형의 넓이)$=6 \times 5 = 30$ (cm²)

❸ 원뿔 모양을 앞에서 본 모양을 써 보세요.

(**이등변삼각형**)

❹ 원뿔 모양을 앞에서 본 모양의 넓이를 구해 보세요.

(**12 cm²**)

✤ (밑변의 길이)$=3 \times 2 = 6$ (cm)
(이등변삼각형의 넓이)$=6 \times 4 \div 2 = 12$ (cm²)

❺ 집 모양을 앞에서 본 모양의 넓이를 구해 보세요.

(**42 cm²**)

✤ $30 + 12 = 42$ (cm²)

98 · Jump 6-2

2 앞에서 본 모양의 넓이를 구해 보세요.

(**152 cm²**)

✤ 원기둥을 앞에서 본 모양은 직사각형이므로 각각의 직사각형의 넓이를 구해 더합니다.
(큰 직사각형의 넓이)$=20 \times 6 = 120$ (cm²)
(작은 직사각형의 넓이)$=4 \times 4 = 16$ (cm²)
(앞에서 본 모양의 넓이)$=120 + 16 + 16 = 152$ (cm²)

3 위에서 본 모양의 넓이를 구해 보세요. (원주율: 3)

(**36 cm²**)

✤ 원뿔과 구를 위에서 본 모양은 원이므로 각각의 원의 넓이를 구해 더합니다.
(원뿔을 위에서 본 모양의 넓이)$=2 \times 2 \times 3 = 12$ (cm²)
(구를 위에서 본 모양의 넓이)$=2 \times 2 \times 3 = 12$ (cm²)
(위에서 본 모양의 넓이)$=12 + 12 + 12 = 36$ (cm²)

4 옆에서 본 모양의 넓이가 24 cm²일 때, □ 안에 알맞은 수를 구해 보세요.

(**6**)

✤ 원기둥을 옆에서 본 모양은 직사각형이고 원뿔을 옆에서 본 모양은 이등변삼각형입니다.
(직사각형의 넓이)$=\square \times 2$
(이등변삼각형의 넓이)$=\square \times 4 \div 2 = \square \times 2$
(옆에서 본 모양의 넓이)$=\square \times 2 + \square \times 2 = \square \times 4 = 24 \rightarrow \square = 6$

6. 원기둥, 원뿔, 구 · 99

유형 ③ 원기둥의 옆면의 둘레와 넓이 〔문제 해결〕

1 원기둥을 펼쳤을 때 옆면의 넓이가 넓은 것부터 차례대로 기호를 써 보세요. (원주율: 3.1)

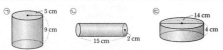

❶ □ 안에 알맞은 말을 써 넣으세요.

(1) 원기둥의 전개도에서 옆면의 가로는 **밑면의 둘레** 와/과 같습니다.

(2) 원기둥의 전개도에서 옆면의 세로는 **원기둥의 높이** 와/과 같습니다.

❷ ㉠, ㉡, ㉢을 펼쳤을 때 옆면의 가로를 각각 구해 보세요.

㉠(**31 cm**), ㉡(**12.4 cm**), ㉢(**43.4 cm**)

✤ ㉠: $5 \times 2 \times 3.1 = 31$ (cm), ㉡: $2 \times 2 \times 3.1 = 12.4$ (cm)
㉢: $14 \times 3.1 = 43.4$ (cm)

❸ ㉠, ㉡, ㉢을 펼쳤을 때 옆면의 넓이를 각각 구해 보세요.

㉠(**279 cm²**), ㉡(**186 cm²**), ㉢(**173.6 cm²**)

✤ (옆면의 넓이)$=$(옆면의 가로)$\times$(옆면의 세로)$=$(밑면의 둘레)$\times$(원기둥의 높이)
㉠: $31 \times 9 = 279$ (cm²), ㉡: $12.4 \times 15 = 186$ (cm²),
㉢: $43.4 \times 4 = 173.6$ (cm²)

❹ 옆면의 넓이가 넓은 것부터 차례대로 기호를 써 보세요.

(**㉠, ㉡, ㉢**)

✤ $279 > 186 > 173.6$이므로 옆면의 넓이가 넓은 것부터 차례대로 기호를 쓰면 ㉠, ㉡, ㉢입니다.

100 · Jump 6-2

2 다음 원기둥을 펼쳤을 때 옆면의 둘레는 몇 cm인지 구해 보세요. (원주율: 3.1)

(**104.8 cm**)

✤ (옆면의 가로)$=7 \times 2 \times 3.1 = 43.4$ (cm)
(옆면의 세로)$=9$ cm
➡ (옆면의 둘레)$=(43.4 + 9) \times 2 = 104.8$ (cm)

3 한 변을 기준으로 직사각형 모양의 종이를 한 바퀴 돌려서 입체도형을 만들었습니다. 만든 입체도형을 펼쳤을 때 옆면의 둘레는 몇 cm인지 구해 보세요. (원주율: 3.14)

(**78.8 cm**)

✤ 밑면의 반지름이 5 cm, 높이가 8 cm인 원기둥이 만들어집니다.
(옆면의 가로)$=5 \times 2 \times 3.14 = 31.4$ (cm)
(옆면의 세로)$=8$ cm
➡ (옆면의 둘레)$=(31.4 + 8) \times 2 = 78.8$ (cm)

4 윤하가 보고 있는 원기둥을 펼쳤을 때 옆면의 넓이를 구해 보세요. (원주율: 3.1)

밑면의 지름은 4 cm이고 앞에서 본 모양은 정사각형이야.

(**49.6 cm²**)

✤ 원기둥을 앞에서 본 모양이 정사각형이므로 밑면의 지름과 높이가 같습니다.
(옆면의 가로)$=4 \times 3.1 = 12.4$ (cm)
(옆면의 세로)$=4$ cm
➡ (옆면의 넓이)$=12.4 \times 4 = 49.6$ (cm²)

6. 원기둥, 원뿔, 구 · 101

유형 ④ 가장 높은 전개도 그리기 〔추론〕

1 진우는 가로가 20 cm, 세로가 10 cm인 도화지에 밑면의 반지름이 2 cm인 원기둥의 전개도를 그리고 오려 붙여 원기둥을 만들려고 합니다. 높이가 최대한 높은 원기둥을 만들려고 할 때 원기둥의 높이를 구해 보세요. (원주율: 3)

❶ 옆면의 가로를 구해 보세요.
❖ (옆면의 가로)=(밑면의 둘레)　　　　(**12 cm**)
　　　=2×2×3=12 (cm)

❷ 알맞은 말에 ○표 하세요.

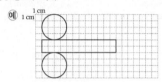
진우가 그린 원기둥의 전개도는 옆면의 가로가 도화지의 가로보다 (길고, (짧고)).
도화지의 세로보다 ((깁니다), 짧습니다).

❸ 원기둥의 전개도를 그려 보세요.

（예）

❹ 원기둥의 높이를 구해 보세요.
　　　　　　　　　　　　　(**2 cm**)
❖ (원기둥의 최대 높이)=(종이의 세로)−(밑면의 지름)×2
　　　=10−4×2=2 (cm)

2 가로 12 cm, 세로 10 cm인 종이에 밑면의 반지름이 1 cm인 원기둥의 전개도를 그리고 오려 붙여 원기둥을 만들려고 합니다. 높이가 최대한 높은 원기둥을 만들려고 할 때 원기둥의 높이를 구해 보세요. (원주율: 3)

　　　　　　　　　　　　(**8 cm**)

❖ (옆면의 가로)=(밑면의 둘레)=1×2×3=6 (cm)
옆면의 가로가 종이의 가로, 세로보다 짧으므로 전개도에서 두 밑면이 왼쪽과 오른쪽에 놓이게 그립니다.
(원기둥의 최대 높이)=(종이의 가로)−(밑면의 지름)×2
　　　=12−2×2=8 (cm)

3 밑면의 반지름이 4 cm인 원기둥의 전개도를 그리고 오려 붙여 원기둥을 만들려고 합니다. 높이가 최대한 높은 원기둥을 만들려고 할 때 어떤 종이에 전개도를 그려야 할지 기호를 써 보세요. (원주율: 3)

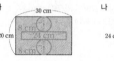

　　　　　　　　　　　　(**나**)

❖ (옆면의 가로)=(밑면의 둘레)=4×2×3=24 (cm)
가: 옆면의 가로가 종이의 세로보다 길므로 전개도에서 두 밑면이 위와 아래에 놓이게 그립니다.
(원기둥의 최대 높이)=(종이의 세로)−(밑면의 지름)×2
　　　=20−8×2=4 (cm)
나: (원기둥의 최대 높이)=(종이의 세로)−(밑면의 지름)×2
　　　=24−8×2=8 (cm)
따라서 나 종이에 그려야 합니다.

6 단원

유형 ⑤ 전개도의 둘레 구하기 〔문제 해결〕

1 다음 원기둥의 전개도에서 옆면의 둘레는 42 cm이고 세로가 8 cm입니다. 이 전개도의 둘레는 몇 cm인지 구해 보세요.

❶ □ 안에 알맞은 말을 써넣으세요.

원기둥의 전개도에서 옆면의 가로는 **밑면의 둘레** 와/과 같습니다.

❖ 원기둥의 전개도에서 옆면의 가로는 밑면의 둘레와 같습니다.

❷ □ 안에 알맞은 수를 써넣으세요.

전개도의 둘레는 옆면의 가로 **4** 개와 옆면의 세로 **2** 개를 더한 것과 같습니다.

❖ (전개도의 둘레)=(밑면의 둘레)×2+(옆면의 둘레)=(옆면의 가로)×2+(옆면의둘레)
　　　=(옆면의 가로)×2+(옆면의 가로)×2+(옆면의 세로)×2
　　　=(옆면의 가로)×4+(옆면의 세로)×2

❸ 옆면의 가로는 몇 cm인지 구해 보세요.
　　　　　　　　　　　　(**13 cm**)
❖ (가로)+(세로)=(직사각형의 둘레)÷2
　➡ (가로)=(직사각형의 둘레)÷2−(세로)
　　　=42÷2−8=21−8=13 (cm)

❹ 전개도의 둘레는 몇 cm인지 구해 보세요.
　　　　　　　　　　　　(**68 cm**)
❖ 13×4+8×2=52+16=68 (cm)

2 다음 원기둥의 전개도에서 옆면의 둘레는 84 cm이고 세로가 12 cm입니다. 이 전개도의 둘레는 몇 cm인지 구해 보세요.

　　　　　　　　　　　　(**144 cm**)

❖ (옆면의 가로)=84÷2−12=30 (cm)
　➡ 30×4+12×2=120+24=144 (cm)

3 다음 원기둥의 전개도의 둘레는 몇 cm인지 구해 보세요. (원주율: 3)

　　　　　　　　　　　　(**164 cm**)

❖ (옆면의 가로)=(밑면의 둘레)=6×2×3=36 (cm)
　➡ 36×4+10×2=144+20=164 (cm)

4 원기둥의 전개도에서 옆면의 넓이가 144 cm²일 때 전개도의 둘레는 몇 cm인지 구해 보세요. (원주율: 3)

　　　　　　　　　　　　(**88 cm**)

❖ (밑면의 둘레)=6×3=18 (cm)
옆면의 세로를 □ cm라고 하면 밑면의 둘레는 옆면의 가로와 같으므로 18×□=144, □=8입니다.
　➡ 18×4+8×2=72+16=88 (cm)

6 단원